Joachim Wanke

Lasst uns das Licht
auf den Leuchter stellen

D0680030

Joachim Wanke

Lasst uns das Licht auf den Leuchter stellen

Impulse für Christen

Die Deutsche Bibliothek – CIP-Einheitsaufnahme

Wanke, Joachim:
Lasst uns das Licht auf den Leuchter stellen:
Impulse für Christen / Joachim Wanke. – 2. Auflage – Leipzig:
Benno-Verl., 2002
ISBN 3-7462-1463-7

2. Auflage 2002

© St. Benno Buch- und Zeitschriftenverlagsgesellschaft mbH,
Leipzig 2001
Redaktion: Marcellus Klaus
Umschlaggestaltung: Ulrike Vetter, Leipzig, unter Verwendung
eines Fotos von Rudolf Rainer, Wiesbaden
Satz und Herstellung: Kontext – Verlagsherstellung, Lemsel
Printed in the Czech Republic

INHALT

I.

Kirche
in der
Midlifecrisis?

1. Vorauseilende Resignation

Zwischen biografischen Erfahrungen des Einzelnen und „biografischen" Erfahrungen von Gemeinschaften gibt es gewisse Entsprechungen. In der Lebenskurve vieler Menschen stellt sich manchmal nach Jahren und Jahrzehnten des „Aufbaus" bzw. der „Konsolidierung" die Erfahrung einer gewissen Erschlaffung ein. Gerade erfolgverwöhnte Menschen können von solch einer Sinnkrise heftig getroffen werden. Man spricht dann von einer Midlifecrisis. Steckt auch unsere katholische Kirche in Deutschland in solch einer Krise? Symptome dafür gibt es durchaus.

Ich mache diese krisenhafte Grundgestimmtheit einmal an folgender Beobachtung fest: Unserer katholischen Kirche in Deutschland ist die Überzeugung abhanden gekommen, dass ein normaler ungetaufter Zeitgenosse ein katholischer Christ werden könnte. Im Allgemeinen vertrauen wir auf die Kleinstkind-Taufe als das automatische Mittel der „Christenvermehrung". Dagegen ist auch im Grunde nichts zu sagen. Es ist freilich heutzutage – weder in Thüringen noch in Bayern – das Selbstverständlichste von der Welt, dass alle als Kleinstkinder Getauften auch „nachhaltig" Christen werden. Manche katholische Eltern spüren das selbst sehr schmerzlich, wenn sie sehen, wie sich ihre Kinder trotz allen Bemühens von der Kirche entfernen. Wir trösten uns dann schnell mit der Auskunft: „Die Verhältnisse heute sind eben so!" Und von manchen wird noch nachgeschoben: „Die Kirche ist ja selbst daran schuld!", wobei gemeint ist, dass sie sich eben nicht hinreichend genug heutigen Lebenseinstellungen und Gewohnheiten anpasse.

Ich stelle einmal die These auf, dass beides etwas miteinander zu tun hat: das lautlose Abwandern so vieler junger Getaufter aus der Kirche und das fehlende Bewusstsein so vieler Christen von der Attraktivität des eigenen christlichen Glaubens. Es gibt so etwas wie eine vorauseilende Resignation, die sagt: „Für mich selbst bin und bleibe ich irgendwie katholisch, aber andere will ich damit nicht belästigen!" In dem „irgendwie" steckt das Problem. Wir verstecken unser Christ-Sein, unser Katholisch-Sein in den Privatbereich. Während beispielsweise sexuelle Fragen bis hinein in intimste Dinge durchaus öffentlich verhandelt werden, darf man heutzutage bekanntlich über zwei Fragen nicht reden: über das eigene Gehalt und die eigene religiöse Orientierung. Das gilt als unanständig, wider die civil correctness.

2. Ostdeutschland ist „religiös unmusikalisch"

Diese vorauseilende Resignation hat sicher auch ihre Grundlagen in den Erfahrungen der Kirche im Osten Deutschlands. Manche Besucher aus dem Westen meinten, dass nach der Wende, nach so langer Unterdrückung allen religiösen und teilweise auch kirchlichen Lebens, im Osten ein Zustrom zu den Kirchen einsetzen müsste. Für Kenner der inneren Mentalität im Osten war freilich schon vorher klar: Die Ostdeutschen sind „religiös unmusikalisch" (M. Weber), und Kirche ist für sie, wenn nicht etwas Exotisches, so doch zumindest etwas sehr Fremdes, Unverständliches. Es gibt manche kluge Abhandlungen zu diesem Befund. In der Diagnose sind sich die meisten Beobachter einig, weniger in der Darlegung der Ursachen für diesen Befund, geschweige denn in der Therapie.

Wir müssen realistischerweise damit rechnen, dass die Breite der Bevölkerung in den neuen Bundesländern, verursacht durch Indoktrination, aber auch durch Gewöhnung an eine totale religiös-kirchliche Abstinenz, für absehbare Zeit kaum Zugang zu einem religiösen, geschweige denn kirchlich geprägten Gottesglauben finden wird. Auch das sei vermerkt: Hier im Osten „dampft" es nicht vor lauter Religiosität! Es mag einige wenige neureligiöse Zirkel und Grüppchen geben, doch spielen diese in der Breite der Bevölkerung Ost, so meine ich, keine Rolle. Das mag zum einen damit zusammenhängen, dass die Akzeptanz der westlichen Lebenswerte samt ihrer Träger ohnehin im Osten nachgelassen hat, zum anderen mag es auch eine gewisse Trotzhaltung sein, die sagt: Alles hat uns Ostleuten der Westen genommen – aber unseren Atheismus, den lassen wir uns nicht nehmen! Das mag ein wenig überspitzt formuliert sein, aber ich halte diese Herleitung der ostdeutschen Religions- und Kirchenferne zumindest zum Teil für berechtigt. Der Atheismus ist bei uns im Osten schon seit drei bis vier Generationen biografisch vererbt, oft schon aus der Vorkriegszeit.

Doch möchte ich hinzufügen: Der explizite Atheismus ist besonders nach der Wende durchsetzt von einem müden, zum Teil resignativen Skeptizismus oder Agnostizismus. Wirklicher Atheismus ist ja intellektuell viel zu anstrengend. Die Menschen im Osten sind weithin eher weltanschauliche „Lebenskünstler", die sich ihre Grundüberzeugungen, wenn sie überhaupt welche haben (wollen), selbst zusammenbasteln – aus Vorurteilen, aus eigenen biografischen Erfahrungen, aus Bildungsresten der alten DDR-Schule, aus Anleihen aus dem westlichen Positivismus usw. Wir Kirchen treffen im Osten beileibe nicht nur auf Ablehnung. Das auch. Aber daneben gibt es durchaus auch Neugier, Interesse, freundliche Anteilnahme – aber eben selten wirkliche Lebensumkehr aus dem christlichen Gottesglauben heraus.

3. Kirchlich-katholische Binnenorientierung

Damit meine ich eine durch die lange, zwei bis drei Generationen während Kampfsituation der Gläubigen und der Kirche insgesamt sich herausgebildete katholische Haltung der „Einigelung". Positiv könnte man dies nennen: „Schulterschlussgemeinschaft" – in ihr erträgt man ja leichter Benachteiligung und Schikanen, negativ muss man das aber deutlich als strukturelle Schwäche erkennen, eben als „Einigelung", die in der Gefahr steht, die umgebende gesellschaftliche Wirklichkeit nicht mehr richtig wahrzunehmen bzw. ihr nicht gerecht zu werden.

Das zeigte sich schlaglichtartig nach der Wende, als es darum ging, bestimmte Lebensformen des im Westen gewachsenen katholischen Lebens im Osten zu übernehmen: Verbandsarbeit, schulischen Religionsunterricht, Medienpräsenz, Dialog mit Kultur und Wissenschaft usw. Sicherlich hat unsere mangelnde Kompetenz auf solchen Feldern, die den innerkirchlichen Lebensraum überschreiten, mit unserer fehlenden Erfahrung zu tun, auch z. T. mit unserer quantitativen Schwäche, aber auch und vor allem mit unserer geistigen und geistlichen Einstellung, die weniger auf Öffnung und Dialog mit der Umwelt aus ist, als immer noch auf Abgrenzung und Selbstbewahrung. Diese Stichworte bezeichnen, auf die Spitze und ins Extrem getrieben, pastoralkirchliche Grundoptionen, die ja so chemisch rein und isoliert nicht existieren. Es gibt immer neben der Öffnung auch notwendige Abgrenzungen, es gibt im Dialog auch notwendigerweise Profilierung, ja ohne diese ist ein Dialog überhaupt nicht möglich. In der Ökumene beispielsweise, meine ich, sind derzeit alle Katzen grau – aber eben deshalb auch langweilig!

Doch wollte ich einfach aufmerksam machen auf eine strukturelle und geistige Schwäche unseres östlichen Diasporakatholizismus: Wir sind zu wenig oder kaum ausgerichtet auf eine geistige und geistliche Präsenz, die angriffig ist, die anregen will, die auf andere abzielt, die mehr bewegen als bewahren will. Wir stellen nicht das Licht auf den Leuchter. Damit meine ich nicht unser eigenes Licht, sondern das Licht eines Gottesglaubens, das auch wir geschenkt bekommen haben, das uns – Gläubige wie Ungläubige – gemeinsam erleuchten will.

4. Der kirchliche „Wilde Westen"

Nach der Wende meinte ich noch etwas blauäugig, das kirchliche Leben bleibe doch weithin von den Turbulenzen der gesellschaftlichen Wende verschont. Wir mussten ja nicht unser Credo ändern, und auch das Kirchenjahr blieb uns erhalten. Aber ich habe inzwischen mein Urteil gründlich revidiert: Auch unser kirchliches Leben ist mit hineingezogen in jene Umstellungen, die eine offene, demokratische, aber auch liberale Gesellschaft hervorruft. Ich verweise in diesem Zusammenhang einfach auf jene Lernprozesse, die uns die Übernahme der westlichen kirchlichen Strukturen bescherte: ein geordnetes, aber auch uns bindendes Staat-Kirche-Verhältnis, Militärseelsorge, Präsenz in den Schulen und in der Erwachsenenbildung, Verbandswesen, Caritas als eigenständiger öffentlicher Wohlfahrtsverband, der zwar öffentliche Gelder empfängt, diese aber auch abrechnen muss, überhaupt der heilsame Zwang, die Realität der Finanzierung des kirchlichen Lebens ernst zu nehmen. Manches ist sehr erfreulich und auch schnell als Lernprozess gelaufen, etwa gerade im Caritasbereich, aber auch bei der Gründung von Schulen, im Gespräch mit der Politik (in der wir mehr Gewicht haben, als unsere schmale Bevölkerungsbasis vermuten lässt), im Umgang mit den Medien u. a. m. Der „mdr" z. B. ist ein für kirchliche Belange erstaunlich offenes Medium, nicht zuletzt dank so mancher wacher Christen, die dort gut eingestiegen sind.

Dennoch ist zu sehen: Wir haben gerade jetzt, in einer Situation des Umbruchs und des Neuanfangs, in einer Situation, in der gleichsam der gesellschaftliche Acker umgepflügt wird, mehr Möglichkeiten, als wir wahrnehmen. In gewissem Sinn gilt das natürlich für alle kirchenhistorischen Situationen. Aber die Nachwendesituation in den neuen Ländern ist weithin noch nicht so verfestigt und verkrustet, wie das z. T. im Westen der Fall ist. Hier ist noch manches „flüssig", geistig und auch strukturell beweglich, wenn wir denn wach sind und einsatzbereit.

Hier markiere ich auch den Punkt, wo ich in den Diözesen des Westens um geistige und geistliche Hilfe bitte: Die Kirche im Osten braucht gerade jetzt weitere Solidarität, eben nicht nur finanziell, sondern auch personell und ideenmäßig. Wir sind im Osten geistig und kirchlich gesehen ein Frontabschnitt, in dem sich auch für die katholische Etappe im Rheinland und in Bayern viel entscheiden wird. Sicher: Auch in München und in der geistigen Luft einer Geldstadt wie Frankfurt oder einer liberalen Universität wie Göttingen ist die Kirche auf dem Kampffeld. Aber im Osten wird sich, so meine ich, exemplarisch entscheiden, ob die Verkündigung des Evangeliums, und zwar als kirchliche Verkündigung, einen Fuß auf den Boden bekommt oder nicht. Im Osten wird die Kirche die Kräfte entbinden müssen, die dem Evangelium in der postmodernen Gesellschaft neuen Glanz zu geben vermögen. Aber damit meine ich eben nicht die kirchlichen Kräfte im Osten allein (wir sind mehr oder

minder zufällig hier bei Mutter Kirche „angestellt"!), sondern ich meine alle in Ost und West, die spüren, es sei an
der Zeit, dass sich mit unserer Kirche und der Art, wie
wir Kirche sind, etwas ändern muss. Die neuen Länder
müssten für den deutschen Katholizismus, für seine besten Kräfte, so etwas werden wie der kirchliche „wilde
Westen", in dem man noch etwas gestalten, noch etwas
aufbauen kann. Ich meine, dass die Orden z. T. die Herausforderung der Zeit erkannt haben und mit ihren oft
auch schwachen Kräften im Osten gut eingestiegen sind.

5. Wir brauchen die Sauerteigbildung innerhalb der Christenheit

Wenn ich das so schildere, wird mir bewusst, wie sehr wir
auch im Osten hineingezogen sind in die derzeit zu beob-
achtende allgemeine Verunsicherung unserer Ortskirchen.
Das ist oft beschrieben und analysiert worden, etwa in den
Beiträgen von Pater Kehl SJ oder auch von F.-X. Kaufmann,
M. N. Ebertz u. a. Diese Verunsicherung hat natürlich zu tun
mit einem tief greifenden kulturellen Umbruch, der einen
nachhaltigen Schub an „Freisetzung" hervorbringt, dessen
Abschluss noch lange nicht erreicht ist. Ich bringe es auf die
Formel: Der Mensch ist dazu verurteilt, ohne Vorgaben
leben zu müssen. Ihm schwinden die tragenden Fundamente, auf denen sich individuelles und soziales Leben aufbau-
en und entfalten kann. Zu diesen schwindenden Vorgaben
gehört eben auch die christliche Tradition. Ich greife auf die
gewesene Diskussion zum Holocaustdenkmal in Berlin
zurück: bezeichnend war der Einwand von Habermas
gegen den Vorschlag Richard Schröders, der bekanntlich

angeregt hat, das biblische Gebot „Du sollst nicht töten" in hebräischen Lettern am Denkmal anzubringen. Habermas meinte, neben dem verbreiteten Argument, das werde der Singularität des Holocaust-Geschehens nicht gerecht: Heute könne man eben beim Mordverbot nicht mehr begründend auf eine religiöse Tradition zurückgreifen. Sicher dürfen wir Kirchen uns das Recht zur ethischen Mahnung nicht nehmen lassen. Aber wir müssen damit rechnen, dass wir diese unseren Zeitgenossen nicht allein religiös begründen können. Hier liegt die Herausforderung der Stunde, auf die wir im Grunde noch keine Antwort wissen. Also doch „nicht-religiös" von Gott sprechen (Bonhoeffer)? Oder „steil von oben her" von Gott sprechen, sodass Gott nur als Negation einer zu verwerfenden Welt vermittelt wird (so evangelikale Wege)? Oder nur im Modus der Anknüpfung an menschliche Sehnsüchte und Ansprüche oder gar nur der Ausweitung und Ausreizung einer innerweltlich bleibenden Transzendenz des Menschen, wie es die neu-religiösen Bewegungen versuchen? Fragen über Fragen.

Dass es keine, zumindest derzeit schlüssigen Antworten gibt, macht mich weniger besorgt. Das ist ja ein Kennzeichen von Umbruchzeiten, in denen alte Horizonte versinken, aber die neuen noch nicht erkennbar sind. Was mich besorgt sein lässt, ist vielmehr die Ahnung der Möglichkeit, dass das religiöse Fragen überhaupt verstummt. Friedrich Nietzsche ist heute wohl aktueller als am Ende des vorigen Jahrhunderts, zumindest prophetischer als der Marxismus, der letztlich noch eine Zukunftsvision hatte, freilich rein innerweltlich, eine Art „Christentum ohne Gott". Nietzsche dagegen sah schon den „blinzelnden" Menschen, der alles durchschaut – bis er am Ende überhaupt nichts mehr sieht. Er sah den Menschen, der sich seine Lebenswohnung so mit den Produkten seiner Hände und seines Geistes voll gestellt hat, dass er Gottes nicht mehr ansichtig wird.

Darum ist das die wahre Herausforderung unserer Kirche: nicht die Kirchenfrage, sondern die Gottesfrage. Wir sind gehalten, das Evangelium wieder völlig neu zu entdecken, vermutlich an der Hand des Lehrers Jesus selbst, im Rückgriff über alle kirchlichen Traditionen hinweg – die wir als Korrektive brauchen, die aber so nicht mehr Glaubensleben wecken können.

Wenn ich das so formuliere, wird klar, dass es die von uns machbaren Chancen für das Evangelium gar nicht gibt. Es gibt nur jenen kairos, den Gott jeder Zeit neu schenkt. Was wir tun können, ist, noch redlicher die geistige Situation der Zeit wahrzunehmen, keinen Illusionen nachzujagen, uns zu konzentrieren auf das Wesentliche und Zentrale dessen, warum es Kirche überhaupt gibt. Wir müssen überzeugt sein, dass wir, wirklich nur wir (genauer gesagt: nicht wir, sondern Gottes Geist durch uns), den Menschen auch heute die über Tod oder Leben entscheidende Wahrheit auszurichten haben. Diese Überzeugung mangelt uns. Und darum wissen wir auch nicht, wie wir diese Botschaft zu sagen haben. Das wird sich ändern, sobald wir selbst das Evangelium neu begriffen haben, oder besser: es uns ergriffen und verändert hat. Anzeichen für eine solche neue Sauerteigbildung innerhalb der Christenheit gibt es.

6. Was Gottes Geist uns sagen will

Ich verrate kein Geheimnis: Auch Bischöfe schätzen die gegenwärtige Lage von Glauben und Kirche manchmal recht unterschiedlich ein. Über objektive Fakten müsste man sich doch eigentlich einigen können. Kirchenaustritte, Rückgang der Taufzahlen, mangelnde geistliche Berufungen, innerkirchliche Grabenkämpfe und heftige Kirchenschelte von allen Seiten: Sind diese Fakten, vor denen keiner die Augen verschließen kann, nicht Grund genug zu Pessimismus und Resignation? Und doch kenne ich Mitbischöfe, die bei Gesprächen über die gegenwärtige Situation der Kirche nicht nur pessimistisch urteilen. Der Glaube, die Liebe und die Hoffnung des Gottesvolkes können wohl nicht allein aufgrund von Allensbach-Befragungen gemessen werden, und die Lage der Kirche ist nicht allein mit soziologischen Befunden in rechter Weise zu beurteilen. Gottes Geist ist allemal für eine Überraschung gut – auch heute?

Gehen wir von der fundamentalen Annahme aus, dass Gottes Geist zu allen Zeiten und geschichtlichen Stunden gleichermaßen gegenwärtig ist. Was ihn an seinem erneuernden und befreienden Wirken hindert, ist allemal mehr unsere eigene Trägheit, Schwäche und Sünde als Gottes mangelnde Zuwendung zu seinem Volk. Nicht wir müssen mühselig nach Gottes Geist suchen, sondern umgekehrt Gottes Geist selbst ist am Suchen, wie er in unsere abgeschottete und oftmals sehr selbstzufriedene Lebens- und Kirchenwelt eindringen kann.

Einbruchstellen des Geistes entdecken

In Anfechtungen eigener Verzagtheit und bei Anwandlungen eines pastoralen Pessimismus ertappe ich mich manchmal dabei, nach kirchengeschichtlicher Lektüre zu greifen. Mehr als die hehren Wahrheiten, die mein dogmatisches und biblisches Glaubenswissen gespeichert hat, hilft mir dann der Blick in vergangene Epochen der Glaubens- und Kirchengeschichte, sei es tröstend in dem Sinn, dass es „damals" wohl auch nicht besser war als heute; oder auferbauend, weil ich staunend sehe, aus welch kleinen Anfängen Gottes Geist Großes wachsen lassen kann. Ein solcher Blick zurück stärkt mein Vertrauen, dass Gottes Geist auch heute am Suchen ist, um die Ritzen zu entdecken, mit denen er unsere falsche Selbstgewissheit und Sattheit aufbrechen kann.

Indem ich diese Stichworte niederschreibe, spüre ich, dass ich ein erstes „Anpochen" des Geistes Gottes an unsere Lebenstüren zu hören meine. Die genannte Selbstgewissheit und Sattheit ist in der Breite unserer Gesellschaft im Schwinden. Die „fetten" Jahre sind, so das allgemeine Urteil, vorüber. Unsicherheiten machen sich breit, alte Gewissheiten (z. B. vom angeblich unaufhaltsamen Fortschritt) zerbrechen. Der heutige Mensch ist längst nicht mehr der prometheische Typ des Welteroberers und Weltgestalters, der sich vor keinen Schwierigkeiten fürchtet. Er fragt sich erschrocken, was aus den Geistern geworden ist, die er einst gerufen hat. Seine Welt ist ihm aus den „Fugen" geraten. Viele Fragen, die vor einer Generation vielen endgültig beantwortet schienen (etwa die nach der Zukunft von Religiosität in der Moderne), sind völlig offen. Die Karten werden derzeit neu gemischt.

So betrachtet gibt die geistige Landkarte unserer Gesellschaft dem Wort „Krisis" einen neuen Klang. Krisenzeiten sind sicherlich auch Zeiten des Niedergangs. Altes, auch Bewährtes, stirbt ab, verliert sich, oft ohne Aufhebens, als ob es nie Bedeutung gehabt hätte. Wer das in seiner eigenen Lebenszeit erfahren muss, etwa an Werten und Haltungen, die ihm einst selbst wichtig geworden sind, kann bis in die Existenzmitte hinein verunsichert werden. Doch sind Krisenzeiten auch Wachstumszeiten. Manchmal unbemerkt, zaghaft und in An- deutungen wächst etwas Neues heran, das in späteren Zeiten allgemeine Geltung erlangt und prägende Kraft entfaltet. Die Sklaverei beispielsweise war selbst in christlich geprägten Gesellschaften das Selbstverständlichste der Welt. Auch die Väter der amerikanischen Menschenrechtserklärung fanden nichts dabei, eigene Sklaven zu haben. Und auf einmal kommt eine Zeit, in der jeder sich wundert, warum man früher so denken und urteilen konnte.

Wachsendes Verlangen nach Freiheit

Eine Einbruchstelle des Geistes Gottes sehe ich in dem wachsenden Verlangen der Menschen nach Freiheit. Mancher mag daraus gerade entgegengesetzte Schlüsse ziehen wollen, wenn er auf die wachsende Liberalität und subjektive Willkür hinweist, mit der heute Menschen rücksichtslos ihre Freiheit gegen die der anderen ausspielen. Doch sollten wir uns von „Krisenerscheinungen" in diesem Wachstumsprozess nicht im Erkennen der dahinter liegenden Grundlinien beeinträchtigen lassen. Der epochale Freiheitsaufbruch im Osten Europas und auch bei uns im Osten Deutschlands war mehr als nur ein Verlangen nach Anschluss an den Konsum des Westens und nach freien Reisemöglichkeiten. Natürlich sind solche Umbrüche komplexe Ereignisse mit mancherlei, auch quer laufenden Tendenzen und Motiven. Doch ist der Ruf nach Freiheit von Menschen verachtenden, auf Lüge aufgebauten Gesellschaftssystemen ein Drängen des Geistes, ein „Zeichen der Zeit", das es wach zu sehen gilt.

Gespür für Authentizität

Ähnliches gilt von einer Beobachtung, die mich sehr nachdenklich macht. Es gibt ein feines Gespür bei den Menschen für Wahrhaftigkeit, „Authentizität", wie man heute gern sagt. Selbst die Bildmedien, die natürlich auch zur Manipulation und Selbstinszenierung eingesetzt werden können, müssen kapitulieren, wenn dieser Funke bei den Menschen zündet. Politiker mögen das manchmal lästig empfinden, auch wir Seelsorger, Bischöfe eingeschlossen, erschrecken vor diesem Maßstab, der auch an unsere Person angelegt wird. Doch unerbittlich und ohne die Möglichkeit einer schützenden Fassade (des Amtes, der Gelehrsamkeit, des Erfolges usw.) wird von den Zeitgenossen eingefordert, was heutzutage mehr als alles andere zählt: Bist du wahrhaftig? Auch die Unerbittlichkeit, manchmal sogar geschichtliche Ungerechtigkeit, mit der nach vergangener Schuld gefahndet wird, ist ein Hinweis auf diese „Suchbewegung" nach Wahrheit, aber eben einer Wahrheit, die mehr ist als Richtigkeit. Es geht um Wahrhaftigkeit bis in die Wurzeln der eigenen Existenz. Könnte es sein, dass dahinter Gottes Geist am Werk ist?

Neue Wertschätzung des Einzelnen

Ich bemerke eine neue Aufmerksamkeit gegenüber dem Einzelnen und seiner Würde, seinem menschlichen Angesicht. Hier werde ich vielleicht am meisten Widerspruch ernten, scheint ja gerade unsere Zeit eine Zeit tiefster Inhumanität zu sein. Ich nenne nur die hohe Zahl der Abtreibungen, die Euthanasiedebatte, die wachsende Jugendkriminalität, ganz zu schweigen von Terror und Massenmord als Mittel der Politik und Machtsicherung. Und doch wage ich zu behaupten, dass es gegenläufig ein tiefes Gespür gibt für den unersetzlichen Wert des Einzelnen. Wir wollen „menschlich" behandelt werden. Was meinen wir eigentlich damit? Gewiss werden manchmal Tiere „menschlicher" behandelt als Mitmenschen. Und doch ist eine Suchbewegung da, den unmenschlichen Fangnetzen einer rein ökonomisch denkenden, auf Wirtschafts- und Finanzzwängen aufbauenden Gesellschaft zu entkommen. Es spricht sich herum, dass eine Gesellschaft, die fünf bis zehn Prozent ihrer Mitglieder abschreibt, nicht das Attribut „menschlich" verdient. Im Gefolge solcher Einsichten sehe ich alternatives Verhalten wachsen. Ich erfahre, dass Menschen mehr schätzen, sich gegenseitig zu haben, als Dinge zu haben. Ich erlebe Menschen, die sich Zielen jenseits von Haben und Genießen verschreiben und in der Hingabe an andere über sich selbst hinauswachsen. Und inmitten des Lärms und der Sensationsgier einer Gesellschaft, die selbst aus politischen Nachrichten noch Unterhaltung macht, sehe ich Menschen, die die Stille lieben, die sich der medialen Dauerberieselung verweigern, die für Meditation (weltlicher oder religiöser Art) offen sind, die die Wiederholung schätzen als Einübungsort wahrer Gelassenheit und ruhigen Selbststandes. Natürlich ist das wiederum alles durchsetzt von Fehlern und Irrtümern, von modischer Esoterik und geistigem „Ipsismus", von Spinnereien und der Gier, inmitten der allgemeinen Langeweile wieder einmal etwas „noch nie Dagewesenes" auszuprobieren. Aber dennoch: Der Geist Gottes sucht Menschen in Bewegung zu bringen. Und wenn er es über den Umweg der „ökologischen Besessenheit" probiert, uns wach zu bekommen – wer sollte dagegen etwas sagen? Er hat uns Menschen ja auch den Verstand gegeben, Dummheiten von weiterführenden, helfenden Einsichten zu unterscheiden. Es könnte durchaus sein, dass einer, der heute anfängt, sich um den Schutz von Kröten zu bemühen, morgen auch das Leben im Mutterschoß zu achten anfängt.

Suche nach einem Du

Und ich nenne als Drängen des Geistes heute ausdrücklich das Verlangen nach tieferer Einheit und Gemeinschaft. Auch hier sind die Gegenbewegungen offensichtlich. Zersplitterung und anhaltende Grabenkämpfe, Parteiengeist und ungehemmter Individualismus sind unübersehbar in unserer Gesellschaft präsent. Der Zeitgeist sagt: Genieße dein Leben! Inszeniere es nach allen Regeln der Kunst – auch auf Kosten der anderen! Aber der dumpfe Verdacht wächst, dass solche Lebenseinstellungen mich letztendlich zu kurz kommen lassen. Die Angst, etwas womöglich verpassen zu können, ist eine der geheimsten Triebfedern unserer Konsum- und Verbrauchsgesellschaft. Und doch steckt hinter dieser Angst auch ein Impuls des Geistes Gottes. Denn: Wenn einer lange genug „Single" gewesen ist, merkt er mit der Zeit, dass er allein ist und allein gelassen wird. Es könnte sein, dass er dann neu das Du entdeckt, nicht als Bedrohung, sondern als Bereicherung. Er könnte spüren, dass es Bindungen gibt, die nicht knechten, sondern freisetzen, so wie ein Kletterseil den Bergsteiger „bindet", ihn aber eben auch sicher klettern lässt. Nicht Moralpredigten (allein) helfen jungen Leuten zu einer erfüllten Ehebindung, sondern Gottes Geist, der ihnen im Du des Partners sein eigenes göttliches Du verkosten lässt. Nicht alle, die heute nicht mehr heiraten wollen, tun dies aus purem Egoismus und blanker Selbstsucht. Ich sehe Antriebe des Geistes auch bei denen, die an der Unehrlichkeit ihrer Umwelt und dem eigenen Unvermögen vorerst noch scheitern, aber dennoch nicht das Suchen nach dem Du aufgeben. Wir sollten in unseren Gemeinden und Gemeinschaften alternative Modelle für ein Miteinander in Bindung und Freiheit anbieten können. Es werden demnächst mehr Menschen zu uns kommen und fragen: „Wo wohnst du?" (vgl. die Frage der Jünger an Jesus, Joh 1,38). Eben weil sie der Unbehaustheit ihrer eigenen Existenz überdrüssig geworden sind. Können wir sie zu uns einladen und wie der Herr sagen: „Kommt und seht!"

II.

Erneuerung
durch
Nachfolge

1. „Er war verloren und ist wieder gefunden" (Lk 15,23) – das christliche Menschenbild

Erneuerung beginnt mit der persönlichen Umkehr; jeder Einzelne ist aufgerufen, sich durch die Worte der Evangelien und der Heiligen Schrift inspirieren zu lassen für eine authentische Nachfolge. Dabei ist es wichtig, die Wurzeln des christlichen Menschenbildes zu wissen. Dieses Menschenbild ist geprägt durch die einzigartige Beziehung Gottes zu uns Menschen. Von dieser Beziehung spricht in vielschichtiger Weise die Heilige Schrift! Mein Einstieg in die Thematik ist aus dem Lukasevangelium gewählt. Das liegt zum einen daran, dass ich dieses Evangelium, näherhin seinen Erzähler, besonders schätze. Lukas ist ein genialer Schriftsteller und Theologe, der zum ersten Mal so etwas wie eine Geschichte Jesu erzählt und uns im Erzählen der Jesus-Geschichte (im Evangelium) und der Anfänge der Jüngergemeinde (in der Apostelgeschichte) klarmacht, was Nachfolge Christi, was Christ-Sein bedeutet.

Zum anderen aber spricht mich eine Erzählung im Lukasevangelium besonders an, die man schon „Evangelium im Evangelium" genannt hat. Das ist die Beispielerzählung vom gütigen Vater oder – unter dieser Überschrift mehr bekannt – vom verlorenen Sohn (Lk 15,11-32). Diese Erzählung ist bekanntlich kein Gleichnis. Gleichnisse hat man nach bestimmten Regeln auszulegen. Ihre Bildseite will auf einen springenden Punkt, auf eine „Sache" hin ausgelegt werden und verträgt deshalb nicht, als Ausrufezeichen für beispielhaftes Handeln verstanden zu werden. Genau das aber ist das Anliegen dieser Geschichte von dem Vater, dem der Sohn weggelaufen ist und der wieder heimgefunden hat. Es ist eine

Beispielerzählung, die vom Ende her gelesen werden will: Ihr sollt euch ebenso freuen wie dieser Vater, dass da ein Mensch, der Gott verloren hatte, ihn wieder gefunden hat. Der andere, der daheim gebliebene Sohn, soll es verstehen und in ihm wir alle, die wir diese Geschichte Jesu hören: „Jetzt müssen wir uns doch freuen und ein Fest feiern; denn dein Bruder war tot und lebt wieder; er war verloren und ist wieder gefunden worden" (Lk 15,32). Um Gottesoffenbarung und Gottesnachahmung geht es hier – und der Erzähler, Jesus, beansprucht, in seinem Verhalten – illustriert an dieser Geschichte – die göttlichen Verhaltensweisen im Umgang mit dem verlorenen Menschen zur Geltung zu bringen: Nicht ein Verhalten, ausgerichtet an einer kalten, tötenden Gesetzlichkeit, sondern ein Verhalten, das seinen tiefsten Antrieb hat in einer sich erbarmenden, aber darin um so anspruchsvolleren Liebe. Ohne Zweifel verteidigt sich Jesus mit dieser Geschichte gegen Vorwürfe seiner Gegner, die ihm angesichts seines Umgangs mit Zöllnern und Sündern Gesetzesverletzung und Frömmigkeitsverstöße vorhielten.

Ein „Evangelium im Evangelium"! Paulus wird auf andere Weise die hier in eine Erzählung gefasste Sache mit dem Schlüsselwort „gerechtfertigt" aus Gnade bezeichnen. Es ist wie mit einem Gegenstand, der von unterschiedlichen Stellungen aus beleuchtet und so in den Blick gerückt wird: Die Perspektiven sind verschieden, aber die aufgezeigte Wirklichkeit, der Gott, der den verlorenen Menschen sucht und findet, der dessen falsche Freiheit in seine wahre Freiheit, in sein eigentliches „Richtig-Sein" verwandelt, das ist bei Paulus und Lukas dasselbe.

Hier klingt an: die christliche, von der Heiligen Schrift her inspirierte Sicht des Menschen. Das ist natürlich ein großes, umfassendes Thema, dem wir uns an dieser Stelle nur annähern können. Da wäre von der Geschöpflichkeit des Menschen zu reden, also von seiner Hinfälligkeit und Begrenztheit, aber auch von seiner Gottebenbildlichkeit, die seine unveränderliche Würde begründet. Da müsste von der eigenartigen Symbiose zwischen Leib und Seele beim Menschen die Rede sein, seiner Eingebundenheit in eine Leib- und Triebstruktur, die ihn dem Tierreich verwandt macht, aber auch seine Freiheit und Reflexionsfähigkeit, die ihn zu einem offenen, sich selbst überschreitenden Lebewesen macht. In gewissem Sinn ist und bleibt der Mensch sich selbst ein Rätsel. Er ist „krummes Holz" und „aufrechter Gang" in einem, gezeichnet von Gegensätzen und Spannungen, die ein unerschöpfliches Thema für Literatur und Kunst sind – aber eben auch für das theologische Nachdenken über den Menschen.

Die Heilige Schrift ist kein anthropologisches Lehrbuch. Sie enthält tiefe Einsichten über die Größe und das Elend menschlicher Existenz, denken wir nur an manche Aussagen der Psalmen, z. B. Ps 90: Der Mensch, ausgesät und vergänglich wie sprossendes Gras: „Am Morgen grünt es und blüht, am Abend wird es geschnitten und welkt" (Ps 90,6). Oder solche Aussagen wie im Buch Ijob: „Ist nicht ein Kriegsdienst des Menschen Leben auf der Erde? Sind nicht seine Tage die eines Tagelöhners?" (Ijob 7,1). Auch Paulus weiß manches zu sagen über die innere Zerrissenheit des Menschen, der sich in seinem eigenen Handeln unbegreiflich ist: Was er will, tut er nicht, aber was er nicht tun soll, wird ihm zum unerträglichen, tötenden Gesetz (vgl. Röm 7).

Abgesehen von solchen und ähnlichen Aussagen, die gleichsam grundsätzlich das Ganze des Menschseins in den Blick nehmen, gehen die biblischen Schriften weithin einen anderen Weg: Sie erzählen vom Menschen. Sie erzählen Geschichten, seien es Geschichten von Einzelnen, seien es Geschichten, die vom Geschick der Völker berichten, besonders des Volkes Israel, das Gott sich erwählt hat. Biblische Anthropologie ist narrative Anthropologie. Im Erzählen erschließt sich die Welt und unser Menschsein, wird Horizontbestimmung und Sinndeutung für Menschen aller Zeiten immer neu möglich.

Die Erzählung vom gütigen Vater und dem verlorenen Sohn (Lk 15) steht in dieser biblischen Tradition des Erzählens. Jesus selbst hat die Psalmen gebetet; er hat die biblischen Geschichten gekannt und aus den großen Verheißungen seines Volkes gelebt. Was ist ihm am Menschen und seinem Geschick wichtig? Weniger das, was der Mensch ist, als das, was mit ihm geschieht. Jesus macht keine philosophischen Wesensaussagen. Er erzählt vielmehr das Drama des Menschen.

„Verloren und wieder gefunden" – mit diesen Worten könnte man zusammenfassen, was unsere Geschichte vom verlorenen Sohn über den Menschen sagen will. Dann fassen wir gleichsam das Ganze einer christlichen Sicht des Menschen. Die Erzählung eröffnet uns einen Verstehenshorizont, in den sich existenzielle Erfahrungen, Ängste und Hoffnungen jeder Menschengeneration eintragen lassen, auch der unsrigen. Ich versuche, von dieser Erzählung geleitet, einige Linien des christlichen Menschenbildes auszuziehen. Was ist der Mensch? Er ist auf einen Weg gestellt, in ein Gespräch verwickelt, für eine unfassbare Freude bestimmt.

„Auf einen Weg gestellt"

Mit dieser Formulierung umreiße ich, was die Erzählung als Ganzes vermitteln will: Der Mensch ist ein unabgeschlossenes, nach vorn hin offenes Wesen. Jede statische Aussage, die den Menschen in Formeln und Definitionen festmachen will, greift zu kurz. Was die (übrigens auch literarisch meisterhaft verfasste) Erzählung des Lukasevangeliums vermittelt, ist ein dynamisches Menschenbild. Unser Leben ist ein Weg, auch das ist eine alte biblische, wohl auch gesamtmenschliche Metapher für eine Erfahrung, die diese grundsätzliche Offenheit unserer Existenz bildhaft ausdrücken will. „Auf einen Weg gestellt sein" besagt: Es ist noch nichts entschieden; aber es kommt auf dein Mühen an, ob du vorankommst oder nicht. Wege haben es an sich, dass sie abgeschritten werden wollen. Sie führen weiter, sie lassen nicht verweilen. Sie nehmen Ziele in den Blick und verweisen vom Vorfindlichen, gerade im Augenblick Erfahrbaren weg auf künftige Entwicklungen, auf mögliche Veränderungen, die jetzt noch nicht im Blick sind.

Der verlorene Sohn ist in dieser Beispielerzählung an keiner Stelle abschließend „definiert". Er ist es nicht in der Situation vor seinem Exodus, da er sich unreflektiert im Haus des Vaters zu Hause wissen konnte, noch später. Er bleibt auch nicht festgelegt als derjenige, dem es auf Eigenständigkeit und Freiheit ankommt, der sich deshalb sein Erbe auszahlen lässt (was übrigens in der Erzählung nicht als Unrecht bezeichnet wird) und in die Fremde zieht. Er bleibt ebenfalls nicht auf Dauer bei der Erfahrung, die ihm in der vermeintlichen Freiheit eines Lebens nach eigenem Gutdünken beschert wird: Abhängigkeit, Würdelosigkeit, Hoffnungslosigkeit. Man sieht den Sohn gleichsam auf seinem Weg eine neue Richtung einschlagen, die ihn den Vater und die Gemeinschaft mit ihm neu entdecken lässt. Und der kleine Erzählzug, der den Vater dem zurückkehrenden Sohn entgegeneilen lässt, sagt mehr über die Dynamik göttlicher Heilspläne für den Menschen aus als alle abstrakten Katechismusaussagen über Rettung und Erlösung.

Daraus ergeben sich zwei Aspekte: Unser christlicher Glaube nimmt die Freiheit des Menschen sehr ernst. Diese Freiheit geht bis hin zur Möglichkeit der Ablehnung Gottes, somit bis zur Zerstörung des tragenden Grundes aller menschlichen Freiheit. Der Atheismus, mehr noch: der alle Absicherungen metaphysischer Art ablehnende Nihilismus ist eine Denk- und Existenzmöglichkeit, die von Seiten des gläubigen Menschen als eine Zwischenstufe zur vollen Wahrheit seiner Existenz verstanden werden muss. Freiheit ist erst dort wirkliche Freiheit, wo jedwede Unmündigkeit abgestreift wird und falsche „Existenzkrücken" weggeworfen werden. Insofern gibt es auch in der religiösen Entwicklung ein (freilich christlich verstandenes) sapere aude („wage zu wissen", nach I. Kant der Grundimperativ jeder Aufklärung). Der im Auszug des Sohnes dargestellte Exodus des modernen Menschen, der sein Ich gleichsam in alle Dimensionen hinein ausloten will, ist nicht als unwiderrufliche „Gottesfeindschaft" zu verstehen bzw. zu verdammen. Dieser Exodus in eine ja nur scheinbare (!) Gottesferne soll auch kein Hindernis für die Kirche sein, mit diesem Menschen im Gespräch zu bleiben. Ist der Mensch gerade in seinem Freigesetztsein ein Bild Gottes, dürfen Phänomene der Freisetzung des Menschen, wie wir sie in der Moderne erfahren, nicht von vornherein defensiv und abwertend beurteilt werden. Ich sehe darum in der atheistischen, heute weithin in eine skeptisch-agnostische Grundhaltung umschwenkenden Lebenseinstellung vieler Menschen eine Wachstumsstufe hin zu einem geläuterten, gereiften Gottesglauben. Gott antwortet nicht auf einzelne Bedürfnisse des Menschen, sondern auf das diesen Bedürfnissen zugrunde liegende Verlangen! Dieses unstillbare desiderium des Menschen, dieses Verlangen nach gelingender, das Leben „ausschöpfender" Existenz sehe ich durch alle Spalten und Ritzen auch der heutigen Gesellschaft durchschimmern. Freilich: Es ist oft fehlgeleitet, vermischt mit Irrtümern und blankem Egoismus. Aber dennoch: Wir müssen Gott als einen anderen Namen für Freiheit (und Gnade!) entdecken – auch in unserer Verkündigung und Seelsorge.

Und ein Zweites sehe ich in der Wegmetapher angedeutet: Der Mensch wird im christlichen Glauben nicht als fertiges Wesen angesehen. Unsere Lebensgeschichte (und Menschheitsgeschichte!) hat noch nicht ihr definitives Ende gefunden. Sie kann darum noch nicht abschließend bewertet werden. Darum verbietet die christliche Menschensicht eine Wertung des Menschen allein aus dem Hier und Jetzt. Sicher, es gibt Erfahrungswerte, die uns Irrwege bei uns selbst und bei anderen als solche erkennen lassen. Es gibt Geprägtheiten durch schlechte Gewohnheiten und Sünden, die nur schwer zu verändern sind. Aber in einem ganz tiefen Sinn ist jeder Mensch in seiner individuellen Heilsgeschichte bis zum letzten Atemzug offen für Gott. Das begründet seine Würde – auch noch in der größten sozialen oder psychischen Verwahrlosung; aber das begründet auch den Ernst und die Bedeutung meines Lebens und dessen, was ich daraus mache. Denn dieses Leben ist wahrlich keine Spielerei, sondern „Ernstfall", es ist kein Experiment, das man beliebig abbrechen kann, sondern unwiederholbar und auf Endgültigkeit hin angelegt.

Beides müssen wir zusammensehen: die Freiheit und die Konsequenzen der Freiheit, den Raum zum Ausschreiten und Ausloten aller Möglichkeiten, aber auch das darin liegende Wagnis, sich möglicherweise zu verlieren.

„In ein Gespräch verwickelt"

So möchte ich das ins Wort fassen, was unser Glaube des Weiteren über den Menschen sagt: Der Mensch kann sich nur von Gott, seinem Schöpfer, her in seiner ganzen Wirklichkeit richtig verstehen.

Die Erzählung vom verlorenen Sohn stilisiert bewusst das Geschehen zwischen Vater und Sohn als ein Dialoggeschehen. „Gib mir das Erbteil, das mir zusteht!" Auch in der Fremde bleibt der Sohn mit dem Vater im Gespräch, wenn er zu sich sagt: „Wie viele Tagelöhner meines Vaters haben mehr als genug zu essen, und ich komme hier vor Hunger um. Ich will aufbrechen und zu meinem Vater gehen und zu ihm sagen: Vater, ich habe mich gegen den Himmel und gegen dich versündigt. Ich bin nicht mehr wert, dein Sohn zu sein; mach mich zu einem deiner Tagelöhner." Ausdrücklich wird diese Bitte bei der Heimkehr des Sohnes wiederholt. Die Antwort des Vaters besteht nicht in einem ausdrücklichen Wort der Vergebung, sondern in Zeichen der Freude: Das Festgewand, der Ring und die Schuhe, das Mastkalb und das Festmahl sind Ausdruck des Überschwangs der väterlichen Freude, die mehr will als nur die Restitution alter Verhältnisse. Das ist ja übrigens das Ärgernis des Daheimgebliebenen und mancher Frommen dieser Erde, die Gott (und damals Jesus) den Überschwang seiner Liebe gegenüber den umkehrenden Sündern verübeln. Liebe und Vergebung stehen in einem merkwürdigen reziproken Verhältnis, wie wir im Verhalten Jesu zu den Sündern erkennen.

So handelt Gott. Die Größe der Verlorenheit des Sohnes ist umfangen von der noch größeren Liebe des Vaters, der eigentlich niemals den Sohn wirklich allein gelassen hatte.

Man kann die Geschichte als eine Kurzfassung des Gesamtdramas unserer Heilsgeschichte bezeichnen. Was die Erzählung nicht ausführt, sondern nur im Erzähler glaubhaft machen kann, ist die Glaubenserkenntnis, dass der Vater uns in seinem Sohn, in Jesus Christus, dem Erzähler dieser Geschichte, entgegenkommt. Was narrativ nicht ausgeführt werden kann, ist Wirklichkeit im Drama des Jesusgeschehens von Betlehem bis Golgotha:

dass der verlorene Mensch auch in der äußersten Entfremdung, „bei den Schweinen" und den „Futtertrögen", die ihm als mögliche Rettung erschienen, nicht allein geblieben ist, nicht vom Vater wirklich verlassen war. Der Dialog mit dem Menschen wurde von Seiten Gottes nie abgebrochen.

Für die Überlegungen zum christlichen Menschenbild heißt das: Wir können christlich den Menschen nur definieren als dialogische Existenz. Mein von mir sehr geschätzter Dogmatikprofessor Otfried Müller hatte uns als jungen Studenten sehr eingeschärft: Das Wesen der Sünde kann man nur „coram deo" (vor dem Angesicht Gottes) erkennen. Diese Mahnung hat mich schon vor manchen sogenannten „Höllenpredigten" bewahrt, wie man sie früher hie und da hören konnte. Theologisch gesehen muss unsere Verkündigung einen anderen Weg gehen als den, den Menschen zuerst kräftig „schlecht" zu reden, ihn gleichsam erst „mürbe" zu machen, um ihm dann den Rettungsweg des Christus-Heils zu zeigen. Wir müssen den Weg der Verkündigung Jesu gehen: Sündenbewusstsein ist Folge, nicht Ausgangspunkt des Evangeliums.

Eine kleine Beobachtung unseres alltäglichen Verhaltens kann uns dies illustrieren: Haben Sie schon einmal eine Kritik von einem böswilligen Menschen angenommen? Oder eine Kritik einfach nur deshalb beherzigt, weil sie wahr ist? Wenn ja, sind Sie nahezu heroisch. Im Normalfall ist es wohl so: Kritik, die mich ändern will, akzeptiere ich erst dann, wenn ich spüre: Der Kritiker meint es gut mit mir. Wirkliche Einsicht in Schuld gibt es wohl erst da, wo ich in Liebe auf mein Versagen hin angesprochen werde, vor allem dann, wenn mich die Liebe dessen, den ich „getreten" habe, im Nachhinein beschämt und innerlich rot werden lässt (was nichts gegen Strafgesetze und gesellschaftliche Sanktionen zur Verbrechensbekämpfung besagen will!).

Alle Vergleiche aus unserer Alltagswelt haben ihre Grenzen. Ich möchte nur dieses Anliegen deutlich machen: Wenn unser christlicher Glaube nicht gleichzeitig von Gott redet, bleibt Sünde ein leeres Wort, eine Floskel („Verkehrssünder"!). Zur wirklichen Erkenntnis der Verlorenheit kommt es erst, wenn ich schon gerettet bin! Vor der Erkenntnis der Verlorenheit steht das Erkennen des Evangeliums.

In unserer Erzählung muss der Vater zu Hause bleiben. Er kann den Sohn bei seinem Exodus nicht begleiten. Unser Glaube bekennt aber, dass auf der Ebene der Heilsgeschichte eine solche letzte Einsamkeit des Menschen nicht besteht. Gott umfängt unsere Freiheit mit einer noch größeren, für uns unbegreiflichen Freiheit, mit einer Liebe, die paradoxerweise bis zur Selbstaufgabe geht. Auch hier können kleine menschliche Erfahrungen nur die Richtung des Verstehens weisen, ohne damit dieses Geheimnis göttlicher Liebe wirklich zu verstehen oder gar auszuloten. Eine strapazierfähige menschliche Liebe kennt die Hinnahme von Schmerzen um des geliebten Anderen willen. Ja, solche Liebe wird erst darin wirklich glaubhaft, authentisch, wenn sie sich binden, anheften, „kreuzigen" lässt, etwa um eines behinderten Kindes willen.

Dort, wo bei Konflikten die Dimension der Freiheit ins Spiel kommt, gibt es keine Gewaltlösungen. Freiheit ist nur durch Freiheit zu bewegen, gegebenenfalls durch eine noch größere Freiheit des Ertragens, des Duldens, des Schwach-Werdens. Damit ist keine schwächliche Freiheit gemeint, sondern die Größe eines Mannes, der sich klein macht und bückt wie einer, der eine überschwere Last aufheben will, um sich dann wieder mit der Last langsam zu erheben.

Hier öffnet sich für mich der Uransatz eines christlichen Verständnisses von Erlösung. Das Kreuz des Herrn ist nicht ein tragisches Geschehen, ist nicht eine Art göttlicher „Betriebsunfall", der bei besserem Zusammenspiel der Kontrahenten hätte vermieden werden können. Er ist noch viel weniger die Konsequenz eines grausamen Sühnebedürfnisses – eine nahezu perverse Gottesvorstellung (aber leider sehr verbreitet!). Die Hingabe unseres Herrn „bis zum Äußersten" (Joh 13,1) ist „notwendig" – nur mit größter Vorsicht ist dieses Wort zu gebrauchen –, so wie notwendig Trotz und Bosheit letztlich nur durch Liebe aufgehoben werden können; einer Liebe, die bereit ist, sich durch nichts erbittern zu lassen, auch nicht durch den Schmerz bringenden Widerstand dessen, dem die Liebe gilt. Man könnte auch sagen: Gott antwortet – wie eben wirkliche, echte Liebe antwortet: „nutzfrei" – als Liebe. Darin macht sie sich (in den Augen der Welt, die in Nutzen-Dimensionen denken will) „töricht" – so wie Paulus im 1. Korintherbrief schreibt. Die Logik der Liebe ist nach einem Wort des französischen Dichters Rimbaud „ein wunderbarer unvorhersehbarer Rechtsgrund". Das Wort Gnade (cháris) hat etwas mit Schönheit, Anmut, Spiel zu tun! Das heißt: Der von Seiten Gottes nie abgebrochene, durch das Leiden und Sterben und Auferstehen Jesu hindurch auf eine neue Basis gestellte Liebesdialog des Menschen mit seinem Gott ist das eigentliche Fundament unserer Heilszuversicht. Nicht Sündenerkenntnis noch heroische Tugendübungen retten uns aus unserer Verlorenheit, wie wir im Nachhinein merken, sondern uns rettet, dass uns eine Freiheit entgegenkommt, die noch größer ist als unsere Freiheit, die wir vermeinten ausgelebt zu haben. Darum hat nur der das Evangelium verstanden, der mit Jesus bzw. der in Jesus den Vater entdeckt und seine „umsonst", „nutzlos" schenkende Liebe.

Die Botschaft unseres Glaubens, die von der Erlösung und Rettung spricht, muss also mit der Bestimmung des Menschen zur Freiheit, wie oben gesagt wurde, vermittelt werden. Pointiert gesagt: Unsere Verkündigung muss aus dem Geruch des Moralischen herauskommen! Sie muss den Raum der Liebe Gottes eröffnen, in der allein Freiheitssehnsucht und Annahme des Sünders mit dem ganzen Elend der Selbstverfallenheit zusammengehen können. Dieses proprium des Evangeliums, dieses große „Umsonst" der Gnade, das uns nicht in unserer Freiheit entwürdigt, muss in unserem kirchlichen Agieren erkennbar werden.

Im Grunde weiß unser Glaube nur das eine Wichtige vom Menschen zu sagen: „Du bist angenommen!" Wir suchen – auch im Glauben – nicht dieses und jenes an einzelnen Dingen, die unser Leben bereichern könnten, sondern wir suchen eben dies: Angenommensein. Dass dies kein harmloses, „niedliches" Christentum meint, müsste noch eigens herausgestellt bleiben. Einer Liebe sich anvertrauen, die radikal und grenzenlos ist, ist ebenso gefährlich, wie – um dieses Bild noch einmal zu bemühen – an Abgründen vorbei auf einen viertausender Gipfel zu steigen. Ungefährlicher ist es zu Hause hinter dem Ofen, aber eben nicht so spannend und so schön.

„Für eine unfassbare Freude bestimmt"

Das Festgewand, der Ring und die Festtagsschuhe reichen nicht als Zeichen der wiedergefundenen Seligkeit. Da muss noch ein Mastkalb her und die Einladung an alle, in den väterlichen Feierwillen mit einzuwilligen. „Und sie begannen ein fröhliches Fest zu feiern!" Und noch eindrücklicher in dem angehängten Wort des Vaters an den räsonierenden älteren Sohn, der dem Vater Vorhaltungen machte: „Aber jetzt müssen wir uns doch freuen und ein Fest feiern; denn dein Bruder war tot und lebt wieder, er war verloren und ist wiedergefunden worden."

Die letzte Bestimmung des Menschen ist das Fest. Man könnte es theologisch korrekter auch so ausdrücken: Der Mensch ist bestimmt zur Communio, zur Gemeinschaft mit seinem Gott, zur Anteilnahme an seinem Leben, zum Zeit überschreitenden Danken und Loben, zum Antworten auf eine göttliche Liebe, die des Menschen ganze Seligkeit sein wird. Schon jetzt gibt es manchmal Augenblicke, in denen wir sagen (Kinder können es noch besser): „Hier ist mir die Zeit versunken, so selig war ich!" Was wir hier nicht in Zeit und Raum und unter Bedingungen unserer erbsündlichen Existenz festhalten können, das sagt der Glaube von unserer letzten Bestimmung: Sie erfüllt sich in der Gottesgemeinschaft, für die das Fest eine schwache, aber die Sinnspitze richtig erfassende Metapher ist.

In einer Zeit, in der menschliches Leben in den Massenmedien bevorzugt als wertlos, niedrig und erbärmlich dargestellt wird, in einer Zeit, in der Menschen aus Langeweile oder aus Verzweiflung über die Sinnleere ihres Daseins bereit sind, sich und andere an Leib und Leben zu gefährden, in einer Welt, in der mehr und mehr Menschen verachtende Gewalt in Form von Geiselnahmen, Terror und Folter Mittel sogar politischen Handelns wird, da braucht es diese eindringliche Erinnerung: Menschliches Leben ist eine kostbare Gabe. Es lohnt sich zu leben, und es ist gut – trotz allem –, ein Mensch zu sein.

Unser Glaube ist realistisch genug, um Erbärmlichkeiten und die Grenzen menschlichen Lebens nicht aus dem Blick zu verlieren. Ich hatte schon an die Psalmen erinnert, dieses Lesebuch anthropologischer Grenzerfahrungen, an denen auch wir heute hinreichend Anteil haben. Ja, „was ist der Mensch, dass du (Gott) an ihn denkst, des Menschen Kind, dass du dich seiner annimmst?" Und doch: „Du hast ihn mit Herrlichkeit und Ehre gekrönt, du hast ihn als Herrscher eingesetzt über das Werk deiner Hände" (Ps 8,5f.).

Schon von unserem Schöpfungsglauben her dürfen wir sagen: Es gibt eine aller Machbarkeit vorgegebene Lebensqualität. Bei allem Wissen um die Abgründe menschlichen Daseins braucht gerade der heutige Mensch eine grundlegende, aus dem christlichen Glauben heraus gestärkte Zustimmung zum Leben. Ein wenig scherzhaft formuliert: Wir sollen wieder lernen: Kühe bestehen nicht nur aus Euter und Filetstücken, und Kinder sind nicht nur potenzielle Ingenieure. Wer sich nur ein wenig Gespür für Gottes reiche und wunderbare Schöpfung bewahrt hat (und das sind gottlob viele Menschen), der wird mir Recht geben: Diese Welt und unser Leben entspringen nicht einem rechnerischen Kalkül, sondern sie sind Hinweis auf eine Überschwänglichkeit und spielerische Freiheit, die nicht in Kategorien der Effizienz, sondern in denen der Liebe denkt.

Nochmals: Trotz aller Abgründe, die uns oft zu Tode erschrecken: Der Glaube denkt groß vom Menschen und von seiner Bestimmung. Das Leben erhält seinen Glanz vom Unverfügbaren und nicht Produzierbaren. Darum wagen wir auch noch am Krankenlager von der Würde des Menschen zu reden und am Grab das österliche Halleluja zu singen. Die Menschen heute brauchen neu dieses Wissen, dass unser aller Leben aus der Hand Gottes kommt und in das Fest der Gemeinschaft mit ihm einmünden soll. Sie sollten von uns Christen gesagt bekommen, dass unser Leben eine kostbare, verheißungsvolle Gabe ist. Ist uns die Kraft zum Danken ausgegangen und darum Gott so fern gerückt?

Ich sehe eine meiner seelsorglichen Aufgaben darin, Menschen diese Lebensperspektive zu vermitteln: Sie sind zum Fest Eingeladene. H. U. v. Balthasar hat einmal diese christliche Lebenssicht treffend so zum Ausdruck gebracht: „Das Erste, was einem Nichtchristen am Glauben der Christen auffallen müsste, ist, dass sie offenkundig viel zu viel wagen."

„Wagen" Nichtchristen manchmal mehr als wir Christen? Der Lebensmut, mit dem manchmal auch ungläubige Menschen ihr Dasein annehmen, im Leid nicht verzweifeln, in einer schwierigen biografischen Wegstrecke nicht einfach Schluss machen, sondern Tapferkeit und Stehvermögen zeigen und an der Geduld und der Hoffnung festhalten, das signalisiert mir, dass die „Fäden" Gottes fester und auch länger sind als manchmal die „Fäden", die die kirchliche Verkündigung zu knüpfen sucht. Das Menschenherz hängt an diesen „Fäden" Gottes stärker, als wir Seelsorger das meinen. Ich denke dabei an das schöne Wort aus Hosea (11,4): „Mit menschlichen Fesseln zog ich sie an mich, mit den Ketten der Liebe."

2. Christlich leben – Glaube, Hoffnung, Liebe

Die christliche Sicht des Menschen leitet sich voll und ganz vom JA Gottes zum Menschen ab. Hier erfährt der Mensch Annahme, Liebe und Geborgenheit, die ihm zu seinem eigentlichen Sein verhelfen. Welche Konsequenzen ergeben sich daraus für den Menschen, der christlich leben möchte. Was heißt eigentlich christlich leben? Christlich leben meint den Gesamtentwurf einer Biografie, den Grundzug einer Lebensführung, eine bestimmte Geprägtheit, die sich in allem und jedem zur Geltung bringt, nicht nur punktuell, sondern durchgängig, nicht nur in grundsätzlichen und wichtigen, sondern auch in ornamentalen, gleichsam beiläufigen Lebensäußerungen eines Menschen. Wie jemand arbeitet oder feiert, wie er sich kleidet und wie er isst, wie einer seine Ehe lebt oder eine Freundschaft und nicht zuletzt: wie einer stirbt – in allem können sich Merkmale authentischer Christlichkeit kundtun. Und die Christlichkeit kann sich auch dort bemerkbar machen, wo Christen sich zusammentun und einem gemeinsamen Werk, etwa einem Verband, einem sozialen Unternehmen ihren Stil, eben einen christlichen, aufzuprägen suchen. Ich gebe zu: Beileibe nicht alles, was „christlich" als Attribut stolz vor sich her trägt, ist auch christlich. Doch lassen wir dieses Problem einmal beiseite, ob sich Christlichkeit auch institutionell festmachen kann, gleichsam sich „überpersonal" in Strukturen einweben lässt. Hier wird man ein feines Gespür für den wahren Gehalt des Christlichen entwickeln und jeweils genauestens hinschauen müssen.

Eine erste holzschnittartige Definition christlichen Lebens könnte sich an der Trias: Glaube – Hoffnung – Liebe festmachen. So würden vermutlich noch unsere Eltern und Großeltern auf die Frage geantwortet haben: Was heißt christlich leben? Christlich leben heißt: An Gott, den Vater unseres Herrn Jesus Christus glauben, auf ihn hoffen und ihn und den Nächsten so lieben, wie Jesus es uns gelehrt hat, d.h. „mit ganzem Herzen und ganzer Seele, mit all deinen Gedanken und all deiner Kraft" (Mk 12,30). Freilich: Glaube, Hoffnung und Liebe, diese großen Worte unserer christlichen Frömmigkeitstradition sind heutzutage merkwürdig blass geworden. Sie wecken meist mehr Missverständnisse, als dass sie Klarheit schaffen, wenn etwa Glaube als ein „Für-wahr-Halten" gegen die Einsicht des Verstandes angesehen wird, oder der Aufruf zur Hoffnung als Vertröstung oder das Liebesgebot als Sozialromantik empfunden wird. Dennoch bleiben die mit den Stichworten Glaube, Hoffnung und Liebe genannten Grundhaltungen die entscheidenden Merkposten für die Fragestellung.

Glaube – Wie Don Camillo möchte ich mit Jesus sprechen können

In meinen Jugendjahren war das Buch und später der Film „Don Camillo und Peppone" sehr bekannt und beliebt. Der Pfarrer Don Camillo, der seinem Intimfeind, dem kommunistischen Bürgermeister, so manchen Streich spielte und umgekehrt dessen Attacken mit nicht immer ganz einwandfreien Methoden zu parieren wusste, war wahrlich kein Ausbund an Heiligkeit. Dennoch ist es dem Autor des Romans gelungen, hinter der Schlitzohrigkeit und dem oft unerleuchteten Eifer des Pfarrers etwas vom Geist des Evangeliums aufleuchten zu lassen. Jenseits ideologischer Gräben sind Pfarrer und Bürgermeister Verbündete im Einsatz Gottes für die Menschen. Und wenn es hart auf hart kam, standen beide, Pfarrer und Bürgermeister, zusammen.

Don Camillo pflegt bekanntlich sich im Roman öfters in der Kirche mit dem gekreuzigten Jesus zu unterhalten. Dort, vor dem Altarkreuz, im Zwiegespräch mit seinem Herrn, wird gleichsam vom Himmel her kommentiert und notfalls korrigiert, was sich Don Camillo alles so einfallen lässt. Wenn ich als Seelsorger über das Gebet zu sprechen hatte, habe ich oft auf diese „Don-Camillo-Frömmigkeit" hingewiesen, dieses Leben aus dem „vis-a-vis" mit dem Gekreuzigten, das für mich ein Grundzug christlichen Lebens ist.

Was der Erfinder der Don-Camillo-Figur mit leichter Feder und hintergründigem Humor auf liebenswürdige Weise hat einfangen können, ist genau das, was ein Leben zu einem christlichen Leben macht. Ich möchte dies einmal in eine Formel gefasst nennen: „dialogisches Leben", genauer: ein Leben aus dem Dauergespräch mit Jesus Christus.

Dieses Strukturelement christlichen Lebens bezeichnet das Neue Testament mit einem Verbum: nachfolgen, näherhin: Christus nachfolgen. Die Jüngerberufungen, die in der frühen Jesustradition überliefert werden, stilisieren die Jüngerexistenz auf diesen Begriff hin. „Als Jesus am See von Galiläa entlangging, sah er Simon und Andreas, den Bruder des Simon, die auf dem See ihr Netz auswarfen; sie waren nämlich Fischer. Da sagte er zu ihnen: Kommt her, folgt mir nach! Ich werde euch zu Menschenfischern machen. Sogleich ließen sie ihre Netze liegen und folgten ihm nach" (Mk 1,16 f.). Im Unterschied zum Lehrer-Schüler-Verhältnis des Frühjudentums, wie es uns beispielsweise später im Institut des Rabbinats begegnet, wird in der Jesustradition der Jünger nicht aus dem Schüler-Sein entlassen. Er bleibt zeitlebens Schüler, Jünger Jesu. Die Nachfolge-Existenz wird zum bestimmenden Merkmal des Christseins, wobei sich im nachösterlichen Erleben der neuen Gegenwart des Auferstandenen die Nachfolge des irdischen Jesus zum Glauben an den erhöhten Kyrios und Herrn Jesus Christus wandelt.

Wenn wir in die Frömmigkeitstradition der Kirche schauen, zeigt sich dies als durchgängiger Grundzug christlicher Existenz: Maßgestalt des Christlichen ist Jesus Christus selbst, sein Wort, sein Verhalten, der Grundgestus seines Lebens in freiem Gehorsam und tätiger Hingabe an den Willen des Vaters im Himmel. So kann Paulus sagen: „Nicht mehr ich lebe, sondern Christus lebt in mir" (Gal 2,20). So kann die johanneische Tradition Jesus sprechen lassen: „Bleibt in mir, dann bleibe ich in euch" (Joh 15,4) oder noch pointierter: „Getrennt von mir könnt ihr nichts vollbringen" (Joh 15,5). Diese Christusinnigkeit bzw. Christusgleichförmigkeit hat im Lauf der Kirchengeschichte in unterschiedlicher Weise Ausprägungen erfahren, bei Benedikt von Nursia und in seiner Mönchstradition anders als bei Franziskus von Assisi, in der Armutsbewegung des Mittelalters anders als in der devotio moderna der vorreformatorischen Zeit, und wieder anders in der lutherischen Passionsfrömmigkeit oder dem katholischen Barock, der mehr die Glorie des Auferstandenen sah als die Niedrigkeit des Menschgewordenen und Gekreuzigten.

Christlich leben heißt demnach: Christus ähnlich werden, es zumindest ansatzweise anzustreben, im eigenen Leben das Leben Christi zum Vorschein zu bringen.

Paulus wagt es, bei einer solch profanen Angelegenheit wie einer Geldkollekte das Beispiel Christi zu bemühen. Als Motivation für die erbetene reichliche Spende schreibt er den Korinthern: „Denn ihr wisst, was Jesus Christus, unser Herr, in seiner Liebe getan hat: Er, der reich war, wurde euretwegen arm, um euch durch seine Armut reich zu machen" (2 Kor 8,9). Und den Christen zu Philippi hält er bei der Mahnung, nichts aus Ehrgeiz und Prahlerei heraus zu tun, die Haltung Jesu vor Augen, der sich erniedrigte und gehorsam wurde bis zum Tod (vgl. Phil 2,5-11).

Die geistliche Qualität eines christlichen Lebens steht und fällt mit dieser Fähigkeit, immer neu das eigene Leben an Jesus Christus Maß nehmen zu lassen. Nicht ein System von Glaubenswahrheiten, sondern eine Person ist die Mitte des Christlichen. Darin ist die Dynamik christlicher Existenz begründet, denn in der Begegnung von Person zu Person muss man immer mit Überraschungen rechnen. Vielleicht liegt die Sterilität unseres derzeitigen europäischen Christentums am Verlust dieser Christus-Unmittelbarkeit, die freilich nicht künstlich zu machen, wohl aber zu erbitten ist.

Hoffnung – Medaillen im Wintersport werden im Sommer vorbereitet

Die Hoffnungsdimension christlichen Lebens möchte ich mit der Kurzformel: „Leben aus dem Vorgriff" umschreiben. Gemeint ist eine Lebensform, die sich auf Gottes neue Welt, auf sein Reich ausrichtet, sich also eschatologisch orientiert. Es gibt so etwas wie eine prinzipielle „Fremdheit" des Christlichen in dieser Welt, die freilich manchmal in einer christlich dominierten Kultur und Gesellschaft verdeckt sein kann. Dennoch hat sich diese „Fremdheit", man könnte auch sagen: „Ungleichzeitigkeit", immer wieder zu Wort gemeldet, besonders in den Biografien der Heiligen.

Was gemeint ist, sei an einem Erlebnis illustriert. Bei einem Urlaub in der slowakischen Hohen Tatra, mitten im Hochsommer, sah ich einmal in einer Parkanlage eines Kurortes junge Athleten auf asphaltierten Wegen auf Rollskiern trainieren: Das war ein merkwürdiger Anblick. Die Passanten staunten und verwunderten sich, zum Teil leicht amüsiert, über den seltsamen Anblick. Sie ahnten natürlich, dass die jungen Leute höchst effizient (vermutlich) für olympische Medaillen übten, die erst im nächsten Winter auf schneebedeckten Pisten gewonnen werden sollten. Doch war der Anblick der mitten im Hochsommer trainierenden Wintersportler höchst verwunderlich, sogar ein wenig zum Lächeln.

In der Erinnerung ist dieses kleine Erlebnis für mich zu einem Gleichnis für die eschatologische Existenz des Christenmenschen inmitten dieser Weltzeit geworden. Wer diese „Fremdheit" bzw. „Ungleichzeitigkeit" des Christlichen in seinem Leben als Christ noch nie gespürt hat, ist vermutlich noch nicht zum Kern der Nachfolge Christi vorgedrungen, zumindest hat er noch ungenügend erkannt, dass alle kirchlichen und gesellschaftlichen „Stützen" des Christ-Seins nur einen Rahmen bilden für die freie Glaubens-entscheidung des Einzelnen, die in der Tiefe und auch Ein-samkeit des eigenen Herzens zu fällen ist. In der Situation der Bedrängnis oder gar der Verfolgung ist dies deutlicher zu erfahren als in Zeiten einer kulturellen Dominanz des Christentums. Vermutlich gehen wir auf Zeiten zu, in denen der Satz aus dem 1. Petrusbrief wieder verständli-cher wird, wenn der Autor dort seine Leser tröstet: „Liebe Brüder, lasst euch durch die Feuersglut, die zu eurer Prü-fung über euch gekommen ist, nicht verwirren, als ob euch etwas Ungewöhnliches zustoße" (1 Petr 4,12). Damals waren vermutlich Alltagsschikanen der heidnischen Um-welt gegen die Christen gemeint, vielleicht auch handfeste-re Verfolgungen. Heute ist es beispielsweise die Fremdheit einer christlich motivierten politischen Verweigerungshal-tung oder eines befremdlichen Konsumverzichts oder die Bejahung eines weiteren Kindes, womöglich eines behin-derten, was Verwunderung oder gar Spott hervorruft.

Zum christlichen Leben gehört das Wissen, dass der Horizont unseres Lebens weiter ist als das, was wir mit Händen greifen und mit dem Verstand erfassen können. Der Glaube weiß um das Ganze der Wirklichkeit, wie sie uns Gottes Wort erschließt. Das ist wichtig in einer Welt, in der durch die Macht der Medien sich Teilwirklichkeiten verabsolutieren. Die aggressive Werbung z. B. blendet wichtige Aspekte des Menschseins einfach aus. Informati-on verkommt mehr und mehr zur Unterhaltung, zum „infotainment". Unser Glaube und eine Lebenspraxis, die an Jesus Christus Maß nimmt, rechnen mit der „ganzen" Wahrheit über die Welt und den Menschen. Und dazu gehören Leben und Sterben, Freude und Leid, Geglücktes und Misslungenes, Erfolg und Scheitern, das Gute, Schö-ne und Heilige, aber auch das Unsinnige und Absurde, die Schuld und die Sünde. Darum kennzeichnet christliche Existenz eine große Realitätsnähe. Dem gläubigen Menschen „schmeckt die Wirklichkeit so, wie sie ist", wie einmal Chesterton formuliert hat. Aber er erträgt diese Wirklichkeit im Wissen, dass sie nicht das letzte Wort Gottes über seine Schöpfung ist. Im „Vorgriff auf Gottes neue Schöpfung" wagt der gläubige Mensch so zu leben, dass in seinem Denken, Reden und Handeln schon ansatzweise jene Wirklichkeit aufleuchtet, für die Gott uns gnadenhaft bestimmt hat, so etwa, wenn ein Mensch in einer Ehe Treue auf Dauer wagt, Zustimmung zum Leben auch in Krankheit und Behinderung nicht verweigert, in seinem Lebensstil erkennbar werden lässt, dass er nicht von der Angst gejagt wird, alles ergreifen und festhalten zu müssen, um angeblich nicht „zu kurz zu kommen".

Wichtig ist vor allem an dieser Perspektive christlichen Lebens, dass sie nicht allein von einem moralischen Impuls bestimmt ist. Nicht der Verzicht, die Askese, das Opfer ist das bestimmende Moment christlicher Lebensweise, sosehr darin auch das Loslassen-Können und die Selbstverleugnung gefordert sind. „Leben aus dem Vorgriff" auf Gottes neue Welt ist vielmehr ein zutiefst positiver Impuls, der nach dem Größeren, dem Besseren greift, gleichsam nach der „Taube auf dem Dach", weil ihm der „Sperling in der Hand" nicht genügt. Wer Heiligenbiografien kennt, wird darin überall den Grundtenor eines „demütigen Selbstbewusstseins" wieder finden, der genau aus dieser Hoffnungsgestalt christlichen Lebens entspringt: Mein Leben steht unter einer großen Verheißung, und diese lässt mich gleichsam alle Mauern und Hindernisse rein innerweltlicher Selbstgenügsamkeit überspringen. Oder wie Paulus im Zusammenhang mit der Auferstehung von den Toten formuliert: „Nicht, dass ich es schon erreicht hätte oder dass ich schon vollendet wäre. Aber ich strebe danach, es zu ergreifen, weil auch ich von Christus Jesus ergriffen worden bin" (Phil 3,12).

Liebe – sich aussetzen lassen

Kaum ein Wort unserer Sprache ist so verschlissen und verbraucht wie das Wort Liebe. Wir sollten sehr behutsam mit diesem Wort umgehen, es möglichst selten gebrauchen – zumindest uns bewusst sein, wie sehr es dem Missbrauch und der Fehldeutung ausgesetzt ist.

Ich suche darum einen anderen Einstieg in die mit dem Begriff „Gottes- und Nächstenliebe" gemeinte Sache. Mein Ausgangspunkt ist die merkwürdige Erfahrung eines DDR-Christen, Christ zu sein und zu bleiben, ohne eine sichtbare und messbare missionarische Außenwirkung entfalten zu können. In der DDR-Zeit war es so, dass der konkrete Christ, aber auch sonstige kirchliche Lebensäußerungen säuberlich isoliert, gleichsam „septisch" behandelt wurden. Man kam sich vor wie in einen „Kokon" eingesponnen, wobei man merkte: Kirche und Glaube sollten möglichst wenig Einfluss nehmen können auf die Gesellschaft. Jetzt ist das gottlob anders, aber irgendwie spüre ich auch in der liberalen Luft einer offenen Gesellschaft (mit Grundrechten für Kirche und Gläubige), dass das Etikett „katholisch" isoliert. Es ist eine Verdachtsmentalität da, die unausgesprochen oder ausgesprochen dem christlichen Zeugnis unterstellt, es wolle den Menschen manipulieren oder gar Pression ausüben.

Die vor uns liegenden Jahre werden uns – zumindest in unserem Umfeld in Deutschland – vermehrt solche Erfahrungen der „Vergeblichkeit" bescheren. Es ist, wieder in ein Bild gefasst, die Erfahrung des Saatkorns, das in den Acker gesät wird, um dort erst einmal lange zu liegen, ja, selbst sterben zu müssen, ohne zu erfahren, dass aus solchem „Ausgesät-Sein", solchem „Ausgesetzt-Sein" ungeahnt Neues erwachsen wird.

Damals gehörte im Osten weithin zur Lebenserfahrung eines wachen Christen: das Aushalten von Ohnmacht, das Durchtragen menschlich aussichtsloser Situationen und Verhältnisse. Gute Freunde, die am Ende ihres Berufslebens die politische Wende erlebt haben, fragen mich jetzt manchmal: „Du hast uns, lieber Bischof, damals zum Bleiben in der DDR aufgefordert. War das richtig? Jetzt sind wir beruflich und wirtschaftlich abgehängt. Andere übernehmen die Führung und haben das Sagen. Unser Nonkonformismus von früher ist nicht gefragt!" Was soll ich da antworten? In gewisser Weise haben die Fragenden ja Recht. Aber darf der Sauerteig fragen, warum er sich auflösen muss, um den Brotteig locker und das Brot schmackhaft zu machen?

Das meine ich mit der Haltung einer Gottes- und Nächstenliebe, die ich hier und da inmitten unserer kleinen Gemeinden oft bei ganz einfachen Menschen erkenne. Daran ist zukunftweisend, dass Christen wissen und durchtragen müssen, dass sie gebraucht, ja, verbraucht werden – aber eben nicht als seelenlose Teilchen im gesellschaftlichen System, sondern als Jünger ihres gekreuzigten Herrn in freier Selbsthingabe im Dienst für ihre Menschenbrüder.

Der 1. Petrusbrief sagt es so: „Wenn ihr aber recht handelt und trotzdem Leiden erduldet, das ist eine Gnade in den Augen Gottes. Dazu seid ihr berufen worden; denn auch Christus hat für euch gelitten und euch ein Beispiel gegeben, damit ihr seinen Spuren folgt" (1 Petr 2,20 f.). Paulus kann von seinem Leben als „Trankopfer" sprechen, das zusammen mit dem Opfer und dem Gottesdienst seiner Gemeinden ausgegossen wird – und so Freude bewirkt (vgl. Phil 2,17). Eben diese Freude meine ich, die in der Erfahrung unserer jüngsten kirchlichen Vergangenheit ein Kennzeichen unserer Diasporaspiritualität war, und auch der Spiritualität vieler Seelsorger, die wahrlich oftmals nur säen und wenig ernten konnten.

Die voraussehbare Minderheitssituation der Christen in Deutschland wird eine Chance sein, dieses Grundgesetz christlicher Existenz in seiner Wahrheit neu zu erfassen: Gottes Leben erschließt sich in der Hingabe, nicht im Festhalten. Ostern hat als notwendige Vorstufe die Ölbergstunde mit ihrem Ja zum Willen Gottes, der dunkel bleibt. Die Freiheit, von der unser Glaube redet und in die er einweist, erwächst aus einer Bindung, einem Gehorsam, der jenseits aller Erwartungen von Selbstverwirklichung und menschlich geglücktem Leben liegt. Christ-Sein und Nachfolge Christi haben keinen weltimmanenten „Zweck". Sie bleiben letztendlich „nutzlos", so hart das klingen mag. Sie haben sicherlich indirekte Wirkungen, auch gesellschaftlicher Art – aber das ist nicht messbar, nicht quantifizierbar und vor allem nicht in einer Menschengeneration in seiner möglichen Fruchtbarkeit erfahrbar. Darum sind alle Zukunftsentwürfe für christliches und auch kirchliches Leben ohne diese Spiritualität des sich „Aussetzen-Lassens" fruchtlos. Vor uns liegt eine Periode der Kirchengeschichte, in der Ida Friederike Görres' Wort gelten wird: „Im Winter wächst das Brot." Christliches Leben als Lebensform des „Sich-Aussetzens", des „Sich-Einbringens", des „Sich-verbrauchen-Lassens" – ob das eine Umschreibung sein kann für die Grundgestalt von Gottes- und Nächstenliebe heute? Liebe ist etwas zutiefst Anspruchsvolles. Nicht umsonst bezeichneten (zumindest in der Vergangenheit) Frischverliebte ihre gegenseitige Zuneigung mit einem Herzen, das von einem Pfeil durchbohrt ist. Der Pfeil der Liebe kann wirklich Wunden zufügen und Leiden auferlegen, die sich der erspart, der sich der Liebe verweigert. In der Herz-Jesu-Frömmigkeit ist das geöffnete, verwundete Herz des Herrn Hinweis auf den hohen Einsatz, den jede Liebe kostet, die auch Gott sich seine Liebe kosten lässt. Ich verstehe das Kreuz Jesu als Preis der Liebe Gottes zu seiner Schöpfung.

Christliches Leben wird dort authentisch, wo es diese leidbereite Liebe Gottes, die uns in Jesus Christus anschaulich wird, nachzuahmen sucht. In der „Proexistenz" Christi, in seiner Lebenshingabe wird die wahre Maßgestalt christlichen Lebens erkennbar. Im Neuen Testament spielt das unscheinbare Wort „pro", „für", „für euch und die vielen" eine große Rolle. Stellvertretung ist ein Schlüsselwort der christlichen Botschaft, aber eben auch christlicher Lebensgestaltung. Lapidar sagt es der 1. Petrusbrief von Jesus Christus: „Euretwegen ist er am Ende der Zeiten erschienen." In der Rettung der Glaubenden liegt der Sinn der ganzen Geschichte. Das ist eine ungeheure Behauptung! Und der Verfasser fährt fort: „Durch ihn seid ihr zum Glauben an Gott gekommen, der ihn von den Toten auferweckt und ihm die Herrlichkeit gegeben hat, sodass ihr an Gott glauben und auf ihn hoffen könnt" (1 Petr 1,20 f.).

Warum aber sieht der christliche Glaube immer beides zusammen: Gottes- und Nächstenliebe? Die Verschränkung von Gottes- und Nächstenliebe wird sofort in ihrer inneren Logik dort deutlich, wo ich die Hingabefähigkeit des Menschen an eine Aufgabe, an einen Dienst mit dem uns eigenen Lebenshunger konfrontiere. „Und wo bleibe ich?" Diese Frage eines kleinen Kindes am Familientisch, als die Mutter versuchte, die Süßigkeiten gerecht unter allen aufzuteilen, ist für mich eine Urfrage des Menschenherzens. Und wo bleibe ich – wenn ich meine alten Eltern bei mir behalte und sie nicht in die Fürsorge eines Altenheims abschiebe? Wo bleibe ich – wenn ich mich ehrenamtlich verausgabe und andere neben mir nur als Trittbrettfahrer meines Engagements erfahre? Was wird aus meiner Berufskarriere, wenn ich einem nicht eingeplanten Kind Lebensrecht einräume und es nicht töten lasse? Die Hinwendung zum Nächsten wird wohl nur gelingen, wenn in ihr die Sorge aufgefangen bleibt, selbst nicht mit dem eigenen Hunger nach Leben und Liebe zu kurz zu kommen. Darum ist die mir von Gott eröffnete Lebensmöglichkeit, der ich „mit ganzem Herzen und ganzer Seele" traue, der tragende Grund meiner durchhaltenden Zuwendung zum Nächsten. Vielleicht könnte man das Ganze des christlichen Glaubens in diesen Satz fassen: Ich weiß, dass ich nicht zu kurz komme!

3. Mitten in der Welt und dennoch „anders"?

Nehmen wir als Christen den Mund nicht doch ein wenig zu voll? „Mitten in der Welt" – ja, das ist richtig. Aber: „dennoch anders"? „Ihr Christen seid doch auch nicht anders als alle!", so tönt es uns entgegen. In einer Zeit, in der hochrangige Politiker und Parteifunktionäre, Fußballtrainer und Caritasmanager öffentlich demontiert werden, da sollten wir einfachen Christenmenschen aller Kritik standhalten? Wahrhaftig, wenn einer anfinge zu suchen, da könnte er uns wohl auch zur öffentlichen Beichte „vorführen" (in Klammern: Ich bin froh, dass es das Bußsakrament gibt und wir nicht im Fernsehen beichten müssen).

Nein, es geht bei unserem Thema nicht um Heiligsprechung, am allerwenigsten um unsere eigene! Aber es geht um die Frage, die doch ein Stachel in unserem Fleisch sein sollte: Bemerkt man bei Christen wenigstens an einigen Stellen des Lebens ein „Anderssein"?

Sehnsucht nach dem „Anderssein"

Die geheime Sehnsucht so mancher Zeitgenossen ist es ja doch wohl, dass es „andere" Menschen geben sollte. In jeder Enthüllung, in jeder öffentlichen Anklage gegen Kirche und Christen schwingt, so meine ich herauszuhören, doch ein wenig die Enttäuschung mit: „Schade! Eigentlich hätten wir anderes erwartet." Und dann kommt es – je nach Charakter mit wehmütigem oder hämischem Unterton: „Naja, wir wussten es ja schon immer: Christen sind auch nur Menschen!"

Ja, das stimmt wohl. Wer möchte das bestreiten! Aber sind Christen zumindest Menschen, die trotz ihres Versagens im Einzelnen wenigstens anders sein wollen? Das Evangelium als „Steilvorlage" für ein Leben der anderen Art?

Manchmal begegnet mir dieses „Anderssein". Da ist der junge, 31-jährige Lehrer aus der katholischen Edith-Stein-Schule in Erfurt, Lehrer für Sport und Biologie, der vor kurzem zu Grabe getragen wurde. Seit 1 1/2 Jahren wusste er, dass er mit Leukämie Todeskandidat war. Er hat, so wie seine Freunde und Bekannten sagten, bewusst auf den Tod hin gelebt. Beim letzten Arztbesuch hatte ihm der Internist eröffnet: „Ich gebe Ihnen noch acht Tage Lebenszeit." Er wusste wohl, dass er diesem jungen Mann eine solche Nachricht zutrauen konnte. Er wusste: das ist einer, der ist „anders". Da ist nicht Verzweiflung angesagt, nicht sinnlose Wut gegen ein rätselhaftes Schicksal. Da ist sicherlich auch Angst, aber noch mehr Gefasstheit, Vertrauen, ein Warten auf das Unsagbare, das uns verheißen ist. Ein Sterben – nicht als Absturz in ein finsteres Loch, sondern ein Sterben an der Hand Christi, als „Heimgang" zum Vater.

Ich erwähne einen alten, mir unbekannten Priester aus Aachen. Er lebt in Pension. Eines Tages erreichte mich ein namhafter, hoher Spendenbetrag. „Nehmen Sie es für die Aufgaben in Ihrem Bistum. Ihr müsst ja im Osten doch zusehen, wie Ihr über die Runden kommt. Für mich brauche ich nichts, und die Erben haben selbst genug!" So stand es im Begleitschreiben. Haben, als hätte man nicht. Loslassen können, wo andere festhalten. Dieser Pfarrer wird sicher nicht verhungern – aber er hätte auch den Winter auf Mallorca verbringen können! „Mittendrin – und trotzdem anders!"

Oder ein anderes Erlebnis: Besuch eines Abgeordneten bei mir. Er hatte in der letzten Zeit mancherlei Anfeindungen auszuhalten gehabt. Manche Schläge waren unter der Gürtellinie. „Warum setzen Sie sich dem eigentlich aus?", so fragte ich ihn. „Sie könnten es doch hinter einem Beamtentisch bequemer haben!" Und da sagte er ganz unpathetisch: „Ich war vor einiger Zeit in Bosnien. Was dort gelaufen ist, darf bei uns nicht passieren. Ich kann nicht mit ansehen, wenn Politik Hass sät, Feindbilder in die Herzen pflanzt und nur mit Hilfe von Ressentiments auf Stimmenfang geht. Bei uns in Deutschland muss es anders gehen. Darum mache ich dieses Geschäft – trotz allem!" Ich muss sagen: Hut ab vor jedem, ob Frau oder Mann, der aus diesem Antrieb heraus Politiker ist. Mir ist weniger wichtig, was einer eine Woche vor Wahlen sagt, als was in seinen Überzeugungen, in seinem Leben, in seinem ganzen Charakter erkennbar wird: Ist das einer, der dienen will, oder will er sich nur selbst bedienen? „Mittendrin im Geschäft der Politik – und trotzdem anders!" Ist das ein Wahlkriterium?

Anders – und dennoch nicht langweilig

Ich will nicht mit solchen Beispielen hausieren gehen. Aber christliches Anderssein erschöpft sich bei weitem nicht im Gottesdienstbesuch und im Ablegen der Oster-beichte. Und vor allem: Es äußert sich immer wieder anders und überraschend, so wie der Geist Gottes in jeder Generation neu durch Menschen das Evangelium Jesu anschaulich macht: Einmal ist es ein heiliger König Ludwig, dann ein heiliger Bettler Franziskus; einmal ist es ein heiliger Weltreisender in Sachen Mission wie Franz Xaver, dann wieder ist es eine Ordensschwester wie The-rese von Lisieux, die kaum je ihren Fuß einmal vor die Klosterpforte gesetzt hat. Der eine Christ macht so etwas Verrücktes wie Pater Maximilian Kolbe, der in einem heroischen Entschluss, gleichsam von Sekunde zu Sekun-de, sein Leben für ein fremdes Leben hergibt; der andere setzt es Monat für Monat, Jahr für Jahr ein in der Pflege Leprakranker wie Pater Damian de Veuster. Die eine, wie Mutter Teresa, erhält den Nobelpreis und wird bekannt wie die Prinzessin Diana; eine andere, wie Madeleine Delbrêl, bleibt weithin unbekannt, diese tapfere Frau, die unter atheistischen Industriearbeitern im Frankreich des letzten Krieges durch ein solidarisches Leben für Christi Liebe Zeugnis ablegt.

Und – um von solchen Namen wegzukommen: Die einen schenken einem dritten und vierten Kind das Le-ben, und die anderen nehmen ungewollte Kinderlosig-keit an. Die einen stellen sich selbstlos der Kirche, der Seelsorge, der Caritasarbeit zur Verfügung, die anderen setzen sich selbstlos für ihre Familie ein. Die einen stehen als Christen im Rampenlicht der Öffentlichkeit und wer-den nicht eingebildet, die anderen tun still und treu ihren Dienst im Verborgenen und werden nicht neidisch auf andere. Die einen gehen voll und ganz in der Berufsarbeit auf und bleiben dabei dankbar, die anderen müssen sich mit Arbeitslosigkeit oder ABM-Tätigkeit abfinden und werden trotzdem nicht sauer. Jeder „mittendrin – und trotzdem anders"!

Dem Anderssein eine Chance geben

Gottes Heiliger Geist ist wahrlich kein Geist der Uniformität. So bunt, wie Biografien nun einmal sind, so bunt und vielfältig ist Gottes Geist in Menschenherzen am Werk. Es kommt darauf an, diesem „Anderssein" im eigenen Leben eine Chance zu geben. Aber wie? Es ist interessant: Die Kirche wird heutzutage öfters kritisiert, manchmal sogar sehr heftig, aber einem einzelnen Christen kann es durchaus passieren, dass er oder sie Wertschätzung und Anerkennung erfährt. Oder sage ich zu viel? „Ja, auf den kannst du dich verlassen!" sagen dann vielleicht die Kollegen oder: „Dieser Frau kannst du etwas anvertrauen!" Oder: „Der lässt sich nicht bestechen, schon früher nicht mit Ostgeld, und auch jetzt nicht mit harter Währung!" (wobei Letzteres – zugegeben – eine größere Versuchung ist!). Oder: „Diese Frau, dieses Mädchen hat Charakter, die kannst du nicht einfach anmachen!" Oder solch ein Urteil, das viele solche und ähnliche Beobachtungen unserer Mitmenschen zusammenfasst: „Ich möchte mal wissen, wie der, wie die das schafft!"

Nochmals, es geht mir nicht um Heiligsprechungen. Ich weiß um meine eigene Schuld und Schwäche und die so mancher Mitchristen. Ich weiß auch, dass manche Nichtchristen ebenfalls Großartiges leisten und in vielfacher Hinsicht auch für uns Vorbild sein können. Aber was ich behaupte, ist dies: Dass sie dann dem Geist Christi nicht weit entfernt sind. Dass sie dann – wenn sie wirklich der Hingabe, der Hoffnung, der Nächstenliebe in ihrem Herzen Raum und in ihrem Leben konkrete Gestalt geben, „nicht von dieser Welt sind", wie das Evangelium sagt, und einen Zipfel vom „Gewand Christi", von seinem Geist schon berühren.

Ich freue mich über alles, was mir die Anwesenheit des Geistes Christi in dieser Welt verrät. Er weht wahrlich nicht nur in unseren Kirchenmauern. Aber was ich auch sehe, ist: Dass diese Welt dringend Menschen braucht, die den Geist Christi bezeugen, die ihn anderen erschließen, die ihm Glanz und Anziehungskraft geben, die seinen „Duft" an allen Orten verbreiten. Wie sagt der Apostel Paulus? Ihr Christen von Korinth seid ein „Brief Christi"! Ihr sollt von möglichst vielen Menschen gelesen werden, aber so, dass diese den Inhalt verstehen und nicht an der altmodischen Schrift und der verblassten Tinte Anstoß nehmen nach dem Motto: „Geschwätz von gestern! Vertröstung auf morgen! Wir wollen heute leben, denn morgen sind wir tot!"

Auch Christen teilen diesen Lebenshunger. Uns alle, Christen wie Nichtchristen, hat er hier im Osten, in den neuen Bundesländern nach der Wende neu erfasst. Aber käme es nicht gerade deshalb darauf an, unserer Jugend, den Menschen an unserer Seite zu zeigen, wo und wie wirkliches Leben zu finden ist?

Reich werden durch Freisetzung

Darum ermuntere ich als Seelsorger meine Mitchristen: Lasst etwas von der Freude an Gott und seinem Leben, das wahrhaft nicht nur jenseitig ist, in eurem Alltag aufleuchten! Junge Christen bitte ich: Helft mit, dass nicht so viele sich trügerischem Lebensersatz zuwenden. Drogen etwa, überhaupt: dem ungebremsten Haben- und Genießen-Wollen, um danach mit so grauen und verbrauchten Gesichtern herumzulaufen, voll Frust und Groll gegen sich und die Gesellschaft, die angeblich an allem schuld ist. Die Bindung an das Evangelium ist im Letzten Freisetzung. Ein Kletterseil bindet zwar den Bergsteiger – aber es lässt ihn auch Höhe gewinnen!

Wie könnte „Anderssein" heute ausschauen? Ich sage es in „Kurzfassung" so:

- Christen, die anders sind, erwarten noch etwas, über alle Versandhauskataloge hinaus.
- Sie können noch Dinge loslassen, um so größere Freiheit zu gewinnen.
- Sie müssen sich nicht dauernd berieseln und betäuben lassen, sondern sie sind fähig zu innerer Stille und Sammlung. Sie ziehen das eigene Denken vor und freuen sich auch an den kleinen und gewöhnlichen Dingen des Lebens.
- Solche Christen können ab und zu sich selbst vergessen, um im Versinken von Zeit und Arbeit von Ansprüchen und Sorgen selig zu sein (wie es manchmal Kinder noch können!).
- Solche Christen können trotz erfahrener Enttäuschungen immer neu vertrauen, weil sie sich nie allein am Werk wissen, sondern Gott und seinen Geist, der die Herzen lenkt. Solche Christen lassen sich nicht Angst machen – weder von einer böswilligen Hetze, der nichts anderes einfällt als Menschen zu erschrecken, zum Beispiel mit Angst vor Ausländern, die uns angeblich alles wegnehmen, noch von Schreckensvisionen selbst ernannter Propheten, die das nahe Weltende so oder so schon vor der Tür sehen. Natürlich: Wir sollen für die Ankunft Christi bereit und wach sein, aber wir sollen in der Zwischenzeit nicht die Hände in den Schoß legen, sondern mit Verstand und Tatkraft diese Welt erträglicher und humaner gestalten, und noch mehr: durch unser Leben Gott die Ehre geben und einander von Herzen gut sein.

Also doch: „Mitten in der Welt – und dennoch anders"?

4. Abbild Gottes –
die Würde des Menschen

Das bekomme ich so schlecht zusammen: hier die EXPO 2000 mit glanzvollen Präsentationen menschlichen Könnens – und dort: ein 16-jähriger, der mit einem Messer, nur weil er Frust hat, vor seiner Klasse die Lehrerin ersticht. Hier: Menschen im Weltall, eine Weltraumstation zusammenbauend – dort: junge Leute, die auf die Synagoge in Erfurt Brandsätze schleudern (keine Attrappen!). Hier: Hubschrauberpiloten, Sanitäter und Ärzte, die mit höchstem Einsatz Unfallverletzte von den Straßen bergen und zu retten versuchen – und dort: die Praxis, behinderte Kinder bis kurz vor der Geburt durch Ärzte töten zu lassen (in Deutschland sollen es ca. 800 Fälle pro Jahr sein).

Es stellt sich die Frage: Ist der Mensch wirklich ein Abbild Gottes? Oder doch nur ein Zerrbild Gottes?

Ja, der Mensch ist beides: „krummes Holz" und „aufrechter Gang", wie ein Philosoph gesagt hat. Er ist Abel und Kain in einem. Maria und Eva zugleich.

Was hat sich Gott eigentlich gedacht, als er uns schuf? Sind ihm bei unserer „Konstruktion" Fehler unterlaufen? Es gibt ja schon Leute, die uns gentechnisch nachbessern wollen. Ein Anti-Raucher-Gen etwa – das wäre nicht schlecht! Aber Gene für eheliche Treue? Da werden wir wohl noch lange warten können.

Gott sprach: „Lasst uns Menschen machen als unser Abbild, uns ähnlich" (Gen 1,26). Lieber Gott – hast du bei der Erschaffung des Menschen nicht aufgepasst? Oder ist vielleicht unsere Vorstellung, unser „Bild" von dir falsch?

Ich gehe manchmal in meinem vollen bischöflichen Dienstornat von meinem Haus in Erfurt durch die Stiftsgasse zum Dom. Eines Tages ging vor mir ein Vater mit zwei kleinen Kindern. Eines drehte sich neugierig nach mir um, zeigte mit dem Finger auf mich und rief ganz aufgeregt: „Vati, Vati, – sieh mal, da kommt der liebe Gott!"

Ich gebe zu: In meinem roten Talar mache ich schon einen „prächtigen" Eindruck – aber da musste ich doch laut lachen. Ich weiß nicht, was der Kleine sich unter dem lieben Gott vorgestellt hat, sicher so etwas Fremdartiges und Eindrucksvolles wie mich! Aber eines wurde mir deutlich: Unser Denken ist bildhaft. Wichtig ist nur, dass die Bilder stimmen. Das Gottesbild ist wichtig. An ihm hängt unser Menschenbild. Diesen Zusammenhang haben manche Religionskritiker durchaus richtig gesehen. Wenn wir uns Gott nach unserem Bilde schaffen – dann „Gnade uns Gott"! Es kommt darauf an, dass Gott uns nach seinem Bilde geschaffen hat und ständig schafft – nur so gibt es Hoffnung für uns.

Die Bibel zumindest behauptet es: Wir sind sein Abbild. Oder sollen wir vorsichtiger sagen: Wir sollten es sein?

Das scheint wie bei einem Hausbau zu sein. Alles kommt zunächst darauf an, dass der Entwurf stimmt. Ein guter Plan muss da sein, die Berechnungen müssen stimmen. Aber dann braucht es auch Bau-Ausführende. Ein schlechter Baubetrieb kann den besten Architekten zur Verzweiflung bringen. Wenn beim Zement gespart wird, werden die Fundamente nicht lange halten. Und wenn die Dachziegel nicht richtig verlegt sind, hilft die beste Zeichnung nichts: Es wird bald hereinregnen.

Zwei Seiten der gleichen Münze: Gottes Abbild sein sollen – und Gottes Abbild sein wollen. In diesen beiden Wörtchen: sollen und wollen – da steckt die ganze Problematik des Menschen: seine Würde – aber auch sein mögliches Versagen; seine Größe – aber auch die Gefahr, wieder zum Tier zu werden, ins Untermenschliche abzusinken.

Freude am Guten

Ich sage es einmal so: Gespür für Qualität. Es gibt im Menschen, mag er noch so verdorben sein, einen Instinkt für Qualität, letztlich für das Gute. Zugegeben: Das kann verschüttet sein; ja pervertieren. Es gibt grobschlächtige, ja rohe Menschen. Es gibt Leute, die sind so kaputt, dass sie nur noch sich weiter und andere zusätzlich kaputt machen können.

Der Bauplan aber ist anders: Weil Gott der Gute schlechthin ist, der, der Qualität hat und Qualität schafft, ist der Mensch einer, der ein Gespür für Qualität, der letztlich Freude am Guten hat.

Nehmen wir oft nicht viele gute Dinge zu selbstverständlich? Ist uns die Fähigkeit ausgegangen zur Freude am Gelungenen, zum Danke-Sagen für gute Dinge, z. B. eine gute, qualitätvolle Arbeit? Es ist der Stolz jedes Handwerkers, eine gute Arbeit zu leisten und dafür Anerkennung zu finden. Ja, dass wir „gut" sind, das ist unsere Würde. Im doppelten Sinne gut: Gutes leisten und einander gut sein!

Aber oft sind wir so gedankenlos, so abgestumpft, so undankbar, dass wir vergessen: Wir haben allen Grund, uns über das Gute um uns herum und auch in uns zu freuen, Gott dafür zu danken und ihm zu sagen: Lass uns dir, der du uns Gutes schenkst, mit gleicher „Qualität" antworten!

- Du hast eine treue Frau/einen treuen Mann – antworte ihr/ihm mit gleicher Treue.
- Du hast gute Nachbarn – erweise auch ihnen Gutes! (Oder fang einfach als Erster damit an!)
- Du erwartest von anderen Qualität – arbeite selbst auch so, dass sie bei dir keinen Grund zur Klage haben.

Nur ein kleiner Hinweis, welch „krummes Holz" wir sind: Zur Wendezeit nahmen am Kreuzweg zum Hülfensberg* 3000 Leute teil, so dankbar waren wir für die Freiheit und das Geschenk der Einheit, heute sind es noch knapp 300. So ist das eben mit der Dankbarkeit!

Freude am Erkennen – Gespür für Wahrheit

Was hat Gott in unseren Bauplan hineingelegt?

Natürlich: Wir können auch die Augen verschließen. Es gibt nicht nur eine Trägheit der Muskeln, sondern auch eine Trägheit des Verstandes, des Geistes und vor allem des Herzens! Wir können sogar die Wahrheit verdrängen, unterdrücken, verdrehen.

Aber – und das ist für mich das wahre Geschenk der Wende im Osten: Es gibt in jedem Menschen ein Gespür für die Wahrheit, das sich auf Dauer zwar niederhalten, aber letztlich nicht ausmerzen lässt. Nein, Gott hat besser gearbeitet, als wir meinen. Er hat mit Adam und jedem von uns nicht „findige Tiere" geschaffen, sondern Wesen, die neugierig sind, die Fragen stellen, die nicht Ruhe geben, bis sie die Wahrheit kennen. Nochmals: Das alles kann verdorben und missbraucht werden. Solange wir aber noch fragen: Warum – und Warum nicht anders?, solange habe ich Hoffnung für die Welt.

Wir dürfen nicht erschrecken, wenn nun durch Wissenschaft und Technik rasante Möglichkeiten des Menschen in den Blick kommen, die uns unheimlich vorkommen. Wir stehen vor gewaltigen gesellschaftlichen Umbrüchen, vor einer bislang ungeahnten Ausweitung des menschlichen Horizontes bis hinein in die letzten Grundbausteine unseres Körpers und der Materie und bis in noch größere Tiefen des Alls. Gott hat uns Möglichkeiten und Fähigkeiten geschenkt, die wir noch längst nicht ausgeschöpft haben. Dass dies alles Risiken in sich birgt, Gefahren und Möglichkeiten des Missbrauchs – das muss im Blick bleiben. Nicht nur unsere Welt ist größer geworden, sondern auch unsere Verantwortung.

Aber gerade wir Christen sollten uns nicht von der Angst bestimmen lassen. Wir freuen uns doch auch, wenn unsere Kinder größer und eigenständiger werden. Gott freut sich, wenn seine Geschöpfe entdecken, wie groß und wunderbar seine Schöpfung ist, aber er freut sich noch mehr, wenn er spürt, dass Kinder verantwortlich mit der größer gewordenen Freiheit umgehen. Unsere größeren menschlichen Möglichkeiten verkleinern nicht Gottes Ehre, sondern bestätigen sie.

Wir Christen müssen lernen, für fragende und suchende Menschen echte Gesprächspartner zu sein bzw. noch mehr zu werden. Eine Kirche, die mit den Menschen, die sich oft überfordert fühlen von all dem Neuen, was auf sie einstürzt, nicht im Gespräch bleibt, ist nicht im Sinne Gottes. Ich spiele damit auf Entwicklungen innerhalb unserer Kirche an, die wir jetzt auch mehr und mehr in den neuen Bundesländern mitbekommen. Es gibt auch in unseren Reihen Polarisierungen. Es kommt zu Spannungen (das ist nicht tragisch), aber noch mehr zu gegenseitigen Etikettierungen, zu Vorwürfen, zu Verketzerungen. Und das ist unkatholisch!

Haben wir mehr Vertrauen in die Wahrheit Gottes. Werden wir als Christen, als Kirche nicht kleinkariert, als ob katholisch heißt, alles müsse uniformiert in einer Reihe marschieren. Unser Leben muss sich am Evangelium ausrichten, wir müssen uns vom Gebot Gottes befragen lassen – das ist wahr. Aber wir müssen damit rechnen, dass christliches Leben und kirchliches Handeln vielgestaltiger wird. Die so fetzigen „Schwarz-Weiß-Auskünfte", die immer genau wissen, wo der Feind auszumachen ist, sind nicht immer die hilfreichen, geschweige denn die richtigen! Erhalten wir uns in den Gemeinden und darüber hinaus als Kirche in einer nichtchristlichen Gesellschaft eine Atmosphäre des gegenseitigen Vertrauens, des Gesprächs, des gemeinsamen Suchens und Fragens nach der Wahrheit. Unser christlicher Glaube kann dort seine ganze befreiende Kraft entfalten, wo wir selbst fragende und die Wahrheit suchende Menschen bleiben.

Freude am Leben – mit einem Herzen, das fähig ist zu lieben

Mit unseren Händen können wir viel Gutes tun – ohne Zweifel. Noch staunenswerter ist die Kraft unseres Verstandes – aber am meisten kommen wir Gott nahe in der Kraft, die Gott selbst ist: in der Liebe.

Auch hier: Selbst diese höchste Fähigkeit des Menschen zu selbstloser, uneigennütziger Liebe ist nicht gefeit vor Missbrauch, ja vor Perversion. Dabei brauche ich mich hier nicht aufzuhalten. Aber dass jeder Mensch danach verlangt, wirklich lieben zu können und geliebt zu werden, das ist für mich offensichtlich. Locker formuliert: Die „Beziehungskiste" ist den Menschen wichtiger als die Höhe der Spareinlagen. Zumindest dann, wenn die „Chemie" nicht mehr stimmt und Beziehungen in die Brüche gehen.

Ja, wir sind wirklich ein Abbild Gottes – denn „Gott ist die Liebe", wie die Heilige Schrift sagt, „und wer in der Liebe bleibt, bleibt in Gott und Gott bleibt in ihm" (1 Joh 4,16). Hier ist das Zentrum unserer Menschenwürde markiert: liebende und geliebte Personen zu sein. Und das können Gesunde und Kranke, Kinder und Alte, Leistungsstarke und Behinderte sein – ohne jeden Unterschied!

Wir sind etwas, weil Gott uns liebt – und wir von ihm gewürdigt werden, ihm und (seinem Willen entsprechend)

---

* Wallfahrtsort im Eichsfeld

einander in Liebe und Hingabe zu begegnen. Menschsein fängt an, wo die Liebe ein Echo findet. Hier ist die Mitte unseres Glaubens: Weil wir Gott lieben und den Nächsten wie uns selbst, darum ist unser Leben, jedes menschliche Leben groß und einmalig.

Unter diesem Aspekt erscheint vieles in einem anderen Licht: Sonntagsmesse und eheliche Treue, Gebet im Alltag und ehrlicher Umgang mit dem Nächsten, Selbstbeherrschung und Mitleid mit den Schwachen, Mut zur Ehe vor dem Traualtar und Mut, Kindern das Leben zu schenken. Dieses alles und vieles andere mehr wird abhängen davon: ob dein Herz an Gott hängt – oder ob du dir selbst der Liebste und Allerhöchste bist!

Wie hörte ich einmal einen Jugendlichen sagen, als ich ihn, der mit seinem Mädchen zusammen wohnte, frug, warum er nicht heiraten wolle: „Das tu ich mir doch nicht an!" Wer so redet, und zwar ernsthaft redet, der ist sich selbst so etwas wie der liebe Gott. Er hängt an sich – an seiner Bequemlichkeit, an seinem Vorteilsdenken, an seiner beschränkten Einsicht. Ich gebe zu: Vielleicht hat der junge Mann irgendwo in seiner Nähe tatsächlich eine schlechte Ehe erlebt. Vielleicht haben die beiden im Augenblick auch wirklich kein Geld. Aber sie müssen ja auch nicht im teuersten Lokal des Ortes ihre Hochzeit feiern!

Es mag viele Gründe geben, sich dies oder das nicht „anzutun" und „locker" so zu leben: sonntags die Messe zu schwänzen, das Gebet zu vergessen, nicht mehr zu beichten, die Steuererklärung zu manipulieren und den Nächsten, der mir im Wege steht, zu drangsalieren. Letztlich ist für all das die Wurzel: die Unfähigkeit, die Unwilligkeit, sich Gottes Liebe auszusetzen.

„Liebe – und dann tu, was du willst!" hat der Kirchenvater Augustinus gesagt. Ein gefährliches Wort, aber ein großartiges Wort, ein christliches Wort.

Sich Gottes Liebe stellen: „Herr, hier bin ich. Alles, was mein ist, ist letztlich dein Geschenk, deine Gabe. Hilf mir, dir die richtige Lebensantwort zu geben. Ich soll nicht nur dein Abbild sein – ich will es sein!"

Nein, Gott hat uns sehr gut „konstruiert". Der „Bauplan" ist richtig. Das Material von bester Qualität: die Freude am Guten, das Gespür, der „Geschmack" an der Wahrheit, die Sehnsucht und die Fähigkeit zu lieben. Alles kommt darauf an, dass wir daraus etwas machen wollen, an die „Bau-Ausführung" mit neuem Mut und Schwung Hand anlegen.

5. Gott und Mensch brauchen einander

Ich brauche dich –
Menschsein zeigt sich im Geben und Nehmen

„Ich brauch dich!" Das haben wir alle schon oft in unserem Leben zu jemandem gesagt, zu Menschen an unserer Seite, dem Mann, den erwachsenen Kindern, zur Mutter, zum Vater! „Ich brauch dich. – Ja, gerade jetzt. Ich komme allein damit nicht zurande. Kannst du mir nicht einmal helfen?" Wohl dem, der dann jemanden hat, der sagt: Na klar! Ich helfe dir.

Ja, wir Menschen sind bedürftige Wesen. Wir brauchen viele Dinge: Nahrung, Kleidung, Luft und manchmal auch Tabletten. Aber am meisten brauchen wir Menschen, nicht nur wegen mancherlei Dienstleistungen, von den Eisenbahnern über den Busfahrer bis hin zur Verkäuferin im Edeka-Laden.

Noch mehr brauchen wir Menschen, die uns einfach gut sind, die uns mögen, die ein Herz für uns haben.

Wie sehr wir solche Menschen brauchen, merken wir am ehesten, wenn sie uns fehlen. „Dass du damals nicht da sein konntest ..." „Wie sehr hätte ich dich damals gebraucht!" – um jemanden zu haben, der mich getröstet hätte, der mir einen guten Rat gegeben hätte, oder – mit dem ich hätte meine Freude teilen können.

Die Geschichte von der Brotvermehrung ist uns allen bekannt. Jesus – die Jünger – die Volksmenge. Die fatale Situation: Sie haben nichts zu essen. Jesus wendet die Not, aber er braucht dazu die Jünger. Sie teilen aus – und alle werden satt.

Oder die Geschichte von Rut im Alten Testament: Noomi und ihre beiden Schwiegertöchter. – Sie lässt beide Töchter frei, aber Rut bleibt bei ihr – und beide gewinnen zusammen eine neue Zukunft.

Wie leicht könnten wir diese Situationen mit eigenen Erfahrungen untersetzen. Wir sind aufeinander verwiesen. Keiner lebt für sich allein. Und wenn er für sich allein lebt oder leben muss – dann lebt er doch von sichtbaren und unsichtbaren Hilfen, Dienstleistungen und Zuwendungen anderer, ob er es wahrhaben will oder nicht.

Und auch wir selbst sind für andere wichtig – durch unsere Berufsarbeit, durch unseren Dienst, durch die Nähe und Zuwendung, die wir anderen schenken können. „Dass du da bist – darüber bin ich aber froh!" Das ist ein Satz, den wir selbst nicht nur anderen schon öfters gesagt haben. Das ist ein Satz, den wir selbst sicherlich schon als an uns gerichtet gehört haben.

Geben und Nehmen gehören zusammen. Beides macht unser Menschsein aus, macht unser Leben erst menschlich.

Diesen Gedanken möchte ich speziell auf Ehe und Familie einmal ausdehnen. Ich habe den Eindruck: In unserem Land sind nicht nur manche Betonbrücken altersschwach und einsturzgefährdet, sondern auch manche Ehe, der Zusammenhalt der Familien.

Poröser Beton. Da heißt es: Brücke sofort sperren! Sanierung unbedingt erforderlich!

Was ist mit den Ehen los? Es gibt sicherlich mancherlei Gründe dafür, dass heute Ehen – wenn sie überhaupt noch geschlossen werden! – gefährdeter sind als früher: Berufsarbeit, längere zeitliche Dauer der Ehen, wirtschaftliche Unabhängigkeit der Partner. Auch solche Gründe: lockere Sitten, Wegfall gesellschaftlicher Stützen, schwächere Belastbarkeit der Menschen besonders in Krisensituationen und vieles andere mehr.

Aber ob es nicht auch daran liegt, dass viele Menschen vergessen, dass Ehen und Familien nur „funktionieren", wenn beides geübt wird: Nehmen und Geben? „Ja, wir wollen beisammenbleiben, aber nur solange es gut geht!" Ich weiß, es gibt bittere Not in manchen Beziehungen: Alkohol, Gewalt, psychische Krankheit. Manchmal gibt es keinen anderen Ausweg als eine Trennung. Aber soll denn beim Standesamt den Brautleuten schon das Formular für die Scheidung mitgegeben werden? Oder darf man jungen Leuten heutzutage nicht Mut machen und ihnen sagen: Wagt es miteinander! Habt Vertrauen, dass eure Ehe gelingt! Aber denkt daran: Nehmen und Geben gehören zusammen. Ihr dürft nicht nur fordern, sondern müsst auch etwas füreinander einsetzen. „Ich brauch dich!" und „Ich bin für dich da!" So gelingt Ehe. So kann Familie zusammenhalten.

Gott braucht dich

Merkwürdig: Es ist eine gute Erfahrung, gebraucht zu werden. Nicht: verbraucht, „untergebuttert". Nein, das meine ich nicht. Gott gebraucht Menschen nie so, dass am Ende Ruinen übrig bleiben, ausgebrannte Existenzen. Maria sagt, nachdem sie ihr JA zu Gottes Plänen gesagt hat: Selig preisen mich alle Geschlechter! Großes hat er an mir getan. Er hat mich gebrauchen können!

Es gibt vielleicht manche, die gerne für jemanden, für etwas da sein würden – aber keiner hat Erwartungen an sie. „Mich braucht ja keiner!" Das kann bitter sein: Nach dem Tode des Ehepartners, wenn die Kinder auf einmal aus dem Haus sind und es so merkwürdig still um einen wird, oder: wenn man alleinstehend ist, nicht so kontaktfreudig und agil wie Frau Mayer von nebenan, der scheinbar wie von selbst sich die Herzen öffnen, oder wenn man plötzlich arbeitslos wird. „Ich würde ja so gerne etwas tun – aber keiner braucht mich!"

Doch – einer braucht dich bestimmt: Gott, der Herr! Er hat dich ja geschaffen dafür, dass er durch dich etwas in der Welt bewegen will! Du sollst seine „Ministerin" sein – sein „Minister" sein – nicht über ein großes Ministerium mit vielen Millionen Jahresetat; aber vielleicht

– als Ansprechpartner für die verbitterte Person von nebenan,
– als Sohn für die pflegebedürftige Mutter,
– als Caritashelferin in deinem Wohnviertel, in deinem Ort,
– als Mitglied einer Frauengruppe, eines Gemeindegremiums, einer Selbsthilfegruppe, einer sozialen Initiative – und wenn es nur ein Krankenbesuchsdienst ist!

Was heißt hier: nur? Wer bewirkt wohl mehr: der Arzt, der den Tod nur hinausschiebt – oder dein Wort, aus christlicher Hoffnung dem Kranken zugesprochen, das ihm hilft, im Vertrauen nicht verzweifelt zu sterben?

Man darf sich nicht täuschen: Gott gebraucht uns auf vielfältige Weise für seine Heilspläne. Wir sind füreinander – nicht nur „Leibsorger", sondern auch „Seelsorger", Helfer und Begleiter auf Gott hin.

„Ich brauch dich!" sagt Gott zu dir. Frag ihn noch heute: „Herr, ausgerechnet mich brauchst du? Wo soll ich dir wohl nützlich sein?" Ich meine, du wirst eine Antwort hören, wenn du aufmerksam auf Gottes leise Stimme hörst. Er spricht! Wir sind nur manchmal zu laut, um ihn zu verstehen.

Gott, ich brauche dich

Ich muss ehrlich sagen: Manchmal komme ich angesichts der vielen Worte, in der Flut von Meinungen und Ansichten selbst ganz durcheinander. Was soll nun gelten? Ist vielleicht ein Kind im Mutterleib doch weniger wert als ein Kind, das schon geboren ist? Ist ein Behinderter vielleicht doch weniger Mensch, weil er weniger schaffen kann und angeblich nur eine Belastung ist? Ist das Leben vielleicht doch nur Essen und Trinken, Arbeiten und Sich-Vergnügen, und mit dem Tod ist alles aus?

Auch heute leben wir in einer öffentlichen Luft, die dem Christentum so fern steht wie damals die sozialistische Luft der alten DDR. Man ist heute meist nur etwas höflicher, etwas liberaler. Täuschen wir uns nicht: Auch heute, ja gerade heute, in einer freiheitlichen Gesellschaft müssen wir uns in jeder Lebensphase immer neu den „Mehrwert" des christlichen Glaubens vor Augen halten, weil wir die alternativen, nichtchristlichen Verhaltensweisen um uns herum ständig erleben, manchmal sogar in der Gemeinde!

„Gott – ich brauche dich! Nicht nur das Brot – das auch, aber noch mehr brauche ich dein Wort, deine Verheißung, deine Tröstung, deinen Zuspruch! Komm, Herr, und halte mich. Ohne dich gehe ich in dieser ,Unterhaltungs- und Spaßgesellschaft' unter!"

Man darf sich nicht verwirren lassen, wenn andere sagen: „Gott? Kenne ich nicht!" Ich bin gar nicht so pessimistisch hinsichtlich der Rolle des christlichen Glaubens im Blick auf die Zukunft unserer Gesellschaft. Irgendwie schielen alle auf die Kirche: Die Grünen, weil wir noch wissen, was Schöpfung ist. Die SPD – weil wir noch etwas von Nächstenliebe halten. Die CDU – weil wir noch Werte kennen, die andere längst abgeschrieben haben, die FDP, weil unsere christliche Balance von Freiheit und Selbstbindung interessant ist.

Ob es daran liegt, dass wir Jesus Christus kennen? Sein Wort, sein Evangelium? Wir müssen nur wirklich ihn und seine menschenfreundliche Wahrheit den Menschen präsentieren, nicht selbst gestrickte Weisheiten.

Der Auftrag an uns Christen ist, den Herrn immer wieder neu zu suchen, im täglichen Gebet, im Wort der Hl. Schrift, in der Eucharistie! Beten wir: „Herr, ich brauche dich, sonst lebe ich bald wie ein Heide!"

Aus einer solchen Ausrichtung auf den Herrn erwächst dann auch die Kraft, für andere weiter Lasten tragen zu können! Wir haben viele Sorgenkinder um uns herum, Große und Kleine. Wir tragen sie mit, aber nicht allein. Der Herr trägt mit, uns und sie!

Ein junges Mädchen hat mir nach einem Jahr USA-Aufenthalt einmal eine englische Bibel mitgebracht, darin – auf Englisch! – diese schöne Parabel hineingeschrieben: Ein Mensch sieht hinter sich im Sand nur eine Fußspur. Er hadert mit Gott: „Wo warst du, Herr? Ich war so müde und erschöpft – warum warst du nicht bei mir? Warum hast du mich allein gelassen?" Und wie dann Gott antwortet: „Kind, dort, wo du meintest, du seiest allein gewesen, wo du nur eine Spur im Sande siehst – da habe ich dich getragen!"

Manchmal müssen wir an die Zeiten denken, in denen Gott uns getragen hat. Wir dürfen sicher sein, dass er uns nicht im Stich lässt. „Herr, meine Seele hängt an dir. Deine rechte Hand hält mich fest!" (Ps 53). Solche Gebetsworte ändern unseren Alltag, sie stellen uns in die Gegenwart mit Gott. Diese Gebetsworte sind Kraftquellen – wie Brot, Nahrung für die Seele!

III.

Kirche leben
–
Aufgaben und Herausforderungen

1. Seelsorge –
Weiterbau am Haus der Kirche

Die Quelle für das kirchliche Leben und für den Dienst an den Menschen und der Gesellschaft bleibt der Geist des Evangeliums Jesu. Hier finden Christen und die Kirche die Kraft für ein authentisches Leben der Nachfolge des Herrn. An dieser Quelle muss sich auch die Seelsorge der Kirche messen lassen.

Lernbereiter werden

Es hat sich gezeigt, dass die Theorie vom Verschwinden der Religion in der fortschreitenden Moderne falsch ist. Im Westen sind neue Formen einer kirchendistanzierten, „ungebundenen" Religiosität am Wachsen, im Osten sind die Menschen beileibe nicht alle dezidierte Atheisten, sondern eher Skeptiker, häufiger noch schlichte Lebenskünstler, die sich pragmatisch selbst ihre Lebensphilosophie zusammenstricken. Was sollen sie auch anderes tun! Ihre Kirchendistanz ist ihnen schon biografisch in die Wiege gelegt. Die „Kirchenschwellen" sind ihnen normalerweise viel zu hoch. Die kirchliche Sprache kommt ihnen oft fremd vor wie „Chinesisch". Freilich, wenn das „Kirchliche" ihnen mit einer Sprache begegnet, die sie verstehen, wenn die Vertreter der Kirche erkennen lassen, dass sie den Lebenshorizont ihrer Mitbürger kennen, von ihm her denken und argumentieren können, ergeben sich oft erstaunliche Anknüpfungspunkte für ein Gespräch. Ich erfahre, dass viele kirchenferne Menschen, besonders wenn sie ungetauft sind und keine kirchliche „Sozialisierung" erfahren haben, offen für christliches Gedankengut, besonders auch für christliche Zeichen und Symbole sind. Darin erfahren sie offensichtlich etwas vom Geheimnis ihres eigenen Lebens, mehr als Worte vermitteln können.

Wir werden lernen müssen, unsere seelsorgliche Kompetenz für Symbole und Zeichen wieder zurückzugewinnen. Wir haben sie vermutlich durch den allzu sicher geglaubten Besitz der Sakramente derzeit verloren, und zwar an die Werbewelt, den Sport, die Kunstszene, zum Teil auch an die Politik (man denke nur an die „Inszenierung" der Wahlkämpfe). Unsere Seelsorge muss wieder etwas mehr Neugierde für den Adressaten der Botschaft entwickeln. Der Vorteil ist: Wir selbst sind ja solche Adressaten, vom „Zeitgeist" infiltriert und insofern durchaus geeignet, Brücken zu den Menschen um uns herum zu finden. Die sogenannte „Postmoderne" baut uns sicherlich ebenso viele Brücken zum Evangelium, als sie Hindernisse aufbaut. Wir im Osten haben es damals auch gespürt: Die SED mit ihrer Ideologie hat Menschen der Kirche nicht nur entfremdet, sondern ihr auch nachdenkliche, fragende Menschen zugeführt. Ob das jetzt so ganz anders sein sollte?

Die spirituellen Quellen erschließen

Unsere Seelsorge muss sich noch stärker auf ihre ureigensten Quellen besinnen: das „Grundwasser" jener Gläubigkeit, die alle Wirklichkeit mit österlichen Augen anschauen und auch aushalten kann. Wir müssen uns auf eine Periode der Kirchengeschichte einrichten, in der die „christentümliche" Gesellschaft mehr und mehr durch eine Gesellschaft weltanschaulicher Beliebigkeit abgelöst wird. Darin werden wir Christentumsfeindlichkeit finden, auch Gleichgültigkeit, kühle Distanziertheit, aber ebenso neugierige Nachfrage, freundliche Nähe und entschiedene Hinwendung zum Evangelium. Es gibt nicht einfach nur „Abbau" des Kirchlichen zu konstatieren, wir stehen vielmehr in einem „Umbau" von Kirche und Seelsorge, der hier und da schon interessante Perspektiven eröffnet. Ein solcher Umbau verlangt freilich, dass wir unsere eigenen Konturen, unser „Profil" ausprägen. Niemand außer uns feiert Gottesdienste. Es sollten freilich „Gottesdienste" sein und nicht pädagogisierende Bildungsveranstaltungen. Niemand außer uns lehrt die Menschen beten. Ob wir nicht zu viel spirituellen „Hochleistungssport" anbieten und vergessen, den Menschen in der Not ihres Lebenskampfes das spirituelle ABC beizubringen, das sie wirklich brauchen? Niemand außer uns redet von Opfer und Askese (außer einigen Fastenkünstlern). Aber sind unsere Hilfestellungen zu einem „einfachen" Leben so, dass in ihnen die Chance zu größerer Menschlichkeit, zu einer Vertiefung des Humanum erkennbar wird? Niemand außer uns redet so selbstverständlich von Krankheit, Sterben und Tod (oder redet die Literatur doch eindringlicher davon als wir Seelsorger?). Wir dürfen nicht den Eindruck erwecken, dass wir dieses Metier nur sehr kunstfertig „händeln", aber uns selbst davon nicht mehr erschüttern lassen. Wir Seelsorger müssen umkehren, zumindest ebenso intensiv wie jene, denen wir die Botschaft des Evangeliums bringen wollen.

Anbieten, nicht vereinnahmen

Unsere Seelsorge wird sich stärker darauf einlassen müssen, Angebote zu machen, die den „Kunden" die völlig freie Entscheidung der Annahme oder der Ablehnung des „Angebots" lassen. Es mag schwierig sein, die Metapher des „Marktes" auf die Seelsorge anzuwenden, aber Paulus zumindest „sprach täglich auf dem Markt mit jedem, den er gerade antraf" (Apg 17,17). Hier werden wir in der Seelsorge noch viel Phantasie entwickeln müssen, wie eine solche „Angebotspastoral" aussehen könnte. Nicht die Sorge, ob alles sofort akzeptiert und praktiziert wird, sollte bei uns dominieren, sondern die Freude, dass möglichst viele „den Saum des Gewandes Jesu berühren" (Mt 9,20). Wer anbietet, muss sich freilich Gedanken machen, wie er mögliche Kunden „empfängt" (in französischen Kirchen gibt es oft einen Raum am Eingang mit der Bezeichnung: acceuil, „Empfang"). Wie gehen wir mit Taufwilligen oder „Neueinsteigern" um? Besteht die Chance, dass sich ihnen ein Weg eröffnet und sie freundliche, spirituell kompetente Wegbegleiter finden? In einer mehr und mehr verwalteten, bürokratisierten Welt wird eine Gemeinde anziehend werden, in der Menschen das Gefühl haben, wirklich angenommen zu sein, auch die kirchlich nicht ganz „Stubenreinen". Ich rede nicht sofort vom Eucharistieempfang! Gibt es denn wirklich keine „Räume" des freundlichen Empfangs mehr vor und neben der sakramentalen Initiation? Diese hat ihre eigenen Bedingungen. Da sollten wir uns auch nichts abhandeln lassen. Aber Jesus traf nicht nur Menschen im Abendmahlssaal. Er ging zu den Menschen in ihre „Welt". Zachäus traf er in dessen Haus (Lk 19,1 ff.), er ließ sich von dem reichen jungen Mann auf der Straße ansprechen (ohne ihn gewinnen zu können!) (Mt 19,16 ff.), und Petrus war Gast bei einem Offizier der Besatzungsmacht (Apg 10,23 ff.). „Anbieten" ist eine Methode Gottes. Wir brauchen uns dazu nicht zu schade zu sein.

Sich den „Verlierern" des Fortschritts zuwenden

Unsere Gemeinden im Osten waren Gemeinden der „kleinen Leute", zumindest nicht derer, die das Sagen hatten. Auch bei uns hatten sicherlich noch viel zu wenig die wirklich Schwachen ihren Platz. Aber das wird eine der wichtigen Herausforderungen für unsere Seelsorge heute und morgen sein: Ob in unserer Mitte die „Verlierer", die „Zurückbleibenden", die „Kleinen und Geringen" im Sinne des Evangeliums Aufnahme und Annahme finden. In einer Gesellschaft der Dienstleistungen, des Service (gegen den niemand etwas einzuwenden hat, wenn er gut und sachgerecht ist!) ist die auf menschlicher Zuwendung und reinem Erbarmen beruhende Hinwendung zum Nächsten „unbezahlbar", im wahrsten Sinne des Wortes. Sie hat eine Leuchtkraft, die alle glänzenden Lichter des gesellschaftlichen Fortschritts überstrahlt. Unsere Seelsorge wird auch in Zukunft hier ihr Aufgabenfeld haben. Ich habe keine Sorge, dass irgend jemand uns dies streitig macht.

2. Gottesdienst und Menschendienst

Die beiden Stichworte Gottesdienst und Menschendienst fassen zusammen, was im Zusammenhang von Kirche und Gesellschaft mein Anliegen ist. Dabei ist mir wichtig, dass der Gottesdienst vorgeordnet bleibt; denn in einem ganz tiefen Sinn ist das, was wir theologisch im weitesten Sinn „Gottesdienst", also Leben und Lebensgestaltung im „Gotteshorizont" nennen, zutiefst auch Dienst am und für die Menschen.

In Kurzfassung lässt sich die Rollenbestimmung der Kirche und des christlichen Glaubens gegenüber dem Staat und der Gesellschaft anhand dreier Schriftaussagen so umreißen:

a) Die bekannte Zinsgroschen-Perikope (Mk 12,13-17) lässt Jesus auf die provokatorische Frage nach der Berechtigung der kaiserlichen Steuer für Juden antworten: „Gebt dem Kaiser, was des Kaisers ist, und gebt Gott, was Gottes ist." Christlicher Glaube nimmt die Realitäten politischen Lebens in den Blick: Ohne Steuern ist kein Gemeinwesen aufrechtzuerhalten. Aber gleichzeitig relativiert er auch den Politikbereich und weist ihm „Zweitrangigkeit" zu, insofern er nur eine dienende und ordnende Rolle hat angesichts der Grundaufgabe des Menschen, Gott zu dienen. Es gibt also einen grundsätzlichen christlichen Vorbehalt gegenüber dem Politischen im Sinne einer Fundamentalunterscheidung zwischen „Letztem" und „Vorletztem": Zuerst Gott – dann der Kaiser! Das schützt davor, vom „Kaiser" „Letztes", sprich: innerweltliche Erlösung zu erwarten!

b) Röm 13,1-7 („Leistet den Trägern der staatlichen Gewalt den schuldigen Gehorsam"), in seiner Aussageabsicht in der Christentumsgeschichte sicherlich ideologisch missbraucht, will zur Anerkennung der Ordnungsmacht des Staates aufrufen, zu freiem Gehorsam und (so dürfen wir im Blick auf unser Demokratieverständnis heute hinzufügen) zu aktiver Mitgestaltung des politischen Lebens. Politik ist also nicht etwas in sich Schlechtes, sondern ein notwendiger Dienst am Wohl aller Menschen und Bürger, der anzuerkennen und mitzutragen ist (vgl. den norddeutschen Spruch: „Besser ein schlechter Deichgraf als kein Deichgraf"). Freier Gehorsam um der lebensschützenden Ordnung willen!

c) Und schließlich kann man auf die Offenbarung des Johannes hinweisen, etwa das Kapitel 13, in dem der römische Staat als das apokalyptische Tier aus dem Abgrund geschildert wird. Der Seher der Geheimen

Offenbarung ruft hier zum Widerstand gegen den quasi-göttlichen Anspruch des römischen Staates und zum Glaubenszeugnis bis zum Martyrium auf. In Judentum und Christentum gibt es diesen durchgehenden Traditionsstrang der prophetischen Kritik am Staat, wenn dieser sich mit göttlichem Anspruch ausstatten und sich der Grundforderung, nämlich allein Gott Gott sein zu lassen, hindernd in den Weg stellen will.

Relativierung, Anerkennung und prophetische Kritik – das sind die Grundeinstellungen des christlichen Glaubens gegenüber dem Politischen, gegenüber dem Staat und der Gesellschaft, die hier nur in Kürze und Undifferenziertheit angedeutet werden können.

Relativierung: Horizonterweiterung und Freiheitsgestaltung

Hauptauftrag der Kirche ist und bleibt die Gottesverkündigung, und zwar im Sinne eines christlich profilierten Gottesbildes, das sich absetzt von einem allgemein religiös verstandenen, unpersönlichen „Weltenlenker" oder blassen philosophischen „letzten Prinzip". Der Gotteshorizont des Evangeliums, auch im Sinne seines „Prinzips Hoffnung", aber eben nicht auf eine vollkommene Gesellschaft, sondern auf Gottes Reich und Gottes Kommen, relativiert alle menschlichen Ideologien, seien sie marxistisch, hedonistisch oder nihilistisch. Mich persönlich hat dieser Gottesglaube des Evangeliums davor bewahrt, als junger Mensch den marxistischen Welt- und Lebenserklärungen aufzusitzen. Der Pfeil christlicher Hoffnung fliegt weiter als jene Ziele, die der Marxismus vorgab. Heute freilich muss schon wieder angesichts einer Welt- und Lebensdeutung, die überhaupt keine Ziele mehr kennt und das Ende der Geschichte proklamiert, die Hoffnung als Handlungsimpetus wieder in ihr Recht gesetzt werden. Dieser Gedanke müsste freilich eigens noch weiter bedacht werden.

Etwas plakativ formuliert: Die Kirche sollte angesichts der „Diesseitsvertröstung", der die heutige Gesellschaft aufsitzt, den christlichen Glauben als Entmythologisierung des heutigen Waren- und Konsumfetischismus profilieren. Mit brutaler Unbarmherzigkeit wird derzeit von diesem Leben eine Glückserfüllung erwartet, die wir Christen im Normalfall dem Himmel zutrauen, aber nicht dieser Erde. Man sollte einmal auf solche Phänomene achten, besonders in der Welt der Werbung, aber auch in der Politikdarstellung: Paradiesisches wird versprochen und allenthalben ist man mit verkrampftem Angesicht dabei, möglichst „locker" zu sein und „Spaß" um jeden Preis zu haben. Auch der Staat wird in dieser Hinsicht hoffnungslos überfordert. Die Frustrationen sind ja mit diesen Erwartungshaltungen schon vorprogrammiert. Auch bei Partnerbeziehungen sind überzogene Glückserwartungen eine häufige Ursache für deren Scheitern. Schnell tauscht man dann den Partner aus, so wie man ein nicht funktionierendes Gerät austauscht, wenn es nicht hält, was es verspricht.

„Relativierung" ist angesagt, was aber nicht heißt: den Antrieb der Hoffnung zu verleugnen, dem Verlangen keinen Raum zu geben, alle Visionen zu unterdrücken oder schlecht zu reden. Besser gesagt: Christlicher Realismus ist angesagt, Horizonterweiterung auf Gott hin. Inmitten einer totalen Informationsgesellschaft muss Kirche jene Informationen vermitteln, mit denen man leben und sterben kann. Ich stelle fest, dass gerade unreligiös aufgewachsene Menschen zumindest offen sind für die zentralen christlichen Wahrheiten. Sie brauchen dafür freilich eine ihrem Lebenshorizont angepasste kirchliche Sprache und Vermittlung. Da liegen, und das sage ich durchaus selbstkritisch, unsere kirchlichen Herausforderungen und Defizite.

Unwiderruflich sind wir heute in neue, nicht zuletzt gesellschaftliche „Freisetzungen" hineingeführt, ob wir wollen oder nicht. Es gibt in Zukunft keine „Reservate" mehr, auch keine kirchlich-konfessioneller Art. Darum wird es zur Grundaufgabe christlicher Lebensführung heute, die Bindung an Gott und sein Wort, noch mehr an seine Verheißung aus der Situation gesellschaftlicher „Freigesetztheit" zu leben.

Anders gesagt: Gefragt sind Erfahrungen, die Freiheiten mit Inhalt „füllen", sie menschlich lebbar machen, damit sie uns nicht ängstigen, sondern aufrichten; damit sie uns nicht lähmen, sondern zum Handeln Mut machen. Es gilt, den heute um sich greifenden Verdacht zu entkräften, dass „Gottesbindung" Leben verengt statt freisetzt. Wer glücklich verheiratet ist, weiß, dass Bindung nicht verengt, sondern frei machen kann. Ein Kletterseil „bindet", aber es lässt mich auch klettern! Papst Johannes Paul II. hat 1996 vor dem Brandenburger Tor gesagt: „Es gibt keine Freiheit ohne Wahrheit, ohne Solidarität, ohne Opfer." Diese Einsicht gilt es, lebensmäßig von uns Christen einzuholen. Da helfen nicht Worte, da hilft nur das Wagnis eigenen Lebenseinsatzes. Die den Papst verspottende und ausbuhende „Szene" damals in Berlin verdeutlicht, in welchem gesellschaftlichen Kontext solche christliche Freiheit heute gewagt werden muss.

Anerkennung: Christliche Mitverantwortung für Staat und Gesellschaft

Es ist bekannt, dass nach der Wende viele Frauen und Männer aus unseren Gemeinden sich für politische und gesellschaftliche Aufgaben zur Verfügung gestellt haben. Manchmal ist das auch zu einem ökumenischen Problem geworden, weil einige dann hinterhältige römische Strategien witterten. Das ist natürlich Unsinn. Was freilich festzuhalten ist, dass Katholiken offensichtlich leichter und unkomplizierter von ihrem Selbstverständnis her Zugang gefunden haben zum freiheitlichen demokratischen Rechtsstaat Bundesrepublik. Das zeigt sich nicht nur in diesem auch für mich überraschenden Engagement, wozu ich auch öffentlich ermutige. Das zeigt sich auch in der Bereitschaft, in der alten Bundesrepublik gewachsene Formen staatlich-kirchlicher Kooperation selbstverständlicher anzunehmen, etwa das System der Kirchensteuer, die Seelsorge an Soldaten, den schulischen Religionsunterricht. Ich verschweige nicht, dass es dazu auch in unserer Kirche kritische Stimmen gibt, wie überhaupt heute nicht nur von liberalen, sondern auch von konservativ-katholischen Positionen aus das gewachsene Staat-Kirche-Verhältnis der Bundesrepublik in Frage gestellt wird. Jüngstes Beispiel ist der Streit um die Beteiligung unserer Kirche an der Schwangerenberatung.

Meine Option geht eindeutig in die Richtung einer Stärkung und Mitgestaltung des Rechtsstaats durch die katholischen Christen und unsere Kirche. Ich werbe dafür auch in der Ökumene. Es wird gleich zu sagen sein, dass dies nicht kritiklos geschehen kann. Aber grundsätzlich steht unsere Kirche für das Grundgesetz der Bundesrepublik mit ein. Sie weiß, dass diese Verfassung Menschen braucht, die sie verteidigen, mit Leben erfüllen, ihre konkreten Möglichkeiten in die Praxis umsetzen und auf neue Herausforderungen hin in Gesetzgebung und Rechtsprechung anpassen. Ich sage das so prononciert, weil mich die Politikenthaltsamkeit vieler Mitbürger, besonders auch junger Menschen, besorgt macht. Jungen Menschen sage ich gern: Wenn ihr euch nicht um Politik kümmert, kümmert sich bald eine falsche Politik um euch. Aber anders, als ihr wollt!

Speziell wäre in diesem Zusammenhang auch der Einsatz unserer Kirche für die Vernetzung von Menschen und die Hilfe für Hilflose zu nennen, ohne dass Kirche in ihrer Daseinsberechtigung auf diese Dienstleistungen verkürzt werden darf, wie das manchmal in der Öffentlichkeit geschieht. Dennoch: die Kirche darf sich solchen Aufgaben nicht entziehen.

Die moderne Gesellschaft vereinzelt die Menschen und lässt Beziehungen oftmals brüchig werden. Angesichts der zunehmenden gesellschaftlichen Institutionalisierung und Bürokratisierung bleiben häufig mitmenschliche Kontakte auf der Strecke oder sie unterkühlen. Hier ist der Einsatz der Kirche mit ihren Möglichkeiten der Gemeinde- und Gemeinschaftsbildung gefragt, aber auch ihr Sozialeinsatz, der freilich nur beispielhaft und subsidiär sein kann. Die staatliche Unterstützung dafür sehe ich nicht als Gnadengeschenk des Staates an. Im Gegenteil: die Kirche macht ein Angebot bei der Bewältigung von Aufgaben, die sonst auf den Staat zurückfallen würden.

Ein klares Wort also für christliches Engagement in Staat und Gesellschaft! Dass dabei Christen auch politisch unterschiedliche Optionen haben, ist für mich kein Problem. Die Weimarer Republik ist leider auch von den Kirchen und Christen zu wenig gestützt worden. Ein klares Bekenntnis zu dieser Republik und ihren Organen damals hätte vermutlich Hitler verhindern können. Heute gibt es sicherlich keine braune Gefahr, sondern nur Dummheit an den politischen Rändern. Aber Dummheit ist immer gefährlich! Ein Bekenntnis möglichst vieler Menschen zum Grundgesetz tut auch dieser Republik not!

Prophetische Kritik: Kirche soll den Finger auf gesellschaftliche Wunden legen und Wege zur Heilung aufzeigen.

Die Kirche hat die Aufgabe, dort kritisch den Weg der Gesellschaft und auch staatlicher Autorität zu begleiten, wo dieser Weg in die Irre führt und der Mensch seine Würde zu verlieren droht. Die Kirche wird diesen Dienst in Bescheidenheit tun müssen, auch im Wissen um eigenes Versagen in Geschichte und Gegenwart. Aber sie wird zu solchen Gefahren nicht schweigen können, selbst wenn sie dabei gegen gängige Trends und Mehrheitsmeinungen antreten muss. Für unsere Kirche ist das am meisten bekannte Beispiel etwa der Einsatz für den Lebensschutz – am Anfang und am Ende des Lebens. Unsere jetzt ökumenisch gemeinsam getragene kirchliche „Woche für das Leben" im Mai jeden Jahres ist ein Beispiel für diese prophetische Kritik. In einem Jahr ging es einmal um das Thema Ehe und Familie: „Worauf du dich verlassen kannst". Ehe und Familie stehen derzeit so im Abseits, dass der schleichende Abbau dieser tragenden Säulen jedes Gemeinwesens öffentlich bewusst werden muss. Wir sägen uns den Ast ab, auf dem wir selbst sitzen. Auch andere Probleme der heutigen Zeit wären hier zu nennen, wobei es erfreulicherweise bei vielen Themen einen ökumenischen Konsens gibt. Ich denke dabei an den Einsatz von Christen und Kirchen im sogenannten konziliaren Prozess („Frieden, Gerechtigkeit und Bewahrung der Schöpfung"), wobei freilich auch unter Christen die Wege zu den gemeinsamen Zielvorstellungen oft strittig sind. Erfreulich beispielsweise ist das gemeinsame Wort der Kirchen zu den Herausforderungen durch Migration und Flucht von 1997: „… und der Fremdling, der in deinen Toren ist". Und noch erfreulicher der oft praktische Einsatz von Christen und Pfarrgemeinden für Ausländer und Aussiedler. Hier wird Kirche ihrem Anspruch, mahnende und korrigierende Zeichen zu setzen, gerecht.

Ich brauche hier diese prophetisch-kritische Stoßrichtung kirchlichen Wirkens nicht weiter zu entfalten, weil das Gemeinte klar ist. Mir liegt nur daran zu sagen, dass alle drei Optionen nach meinem Verständnis zum Auftrag und Selbstverständnis von Kirche gehören, eben nicht nur Kritik allein, nicht nur gesellschaftliches, soziales Engagement allein, aber auch nicht nur Gottesverkündigung und Gottesdienst allein. Nur im Zusammen dieser drei Optionen können wir das sein, was die Kirche Jesu Christi ausmacht: eine Gemeinschaft, die sich dem „Gottesdienst und Menschendienst" zugleich verpflichtet weiß.

3. Kirche und Caritas

Konkreter Dienst am Menschen

Der Menschendienst verdeutlicht sich in der konkreten Nächstenliebe. In unserer Kirche wird dies an zwei Punkten deutlich, in der konkreten Gemeinde, die sich der Schwachen annimmt, und in der verfassten Caritas, die professionelle Hilfe in vielen Bereichen anbietet und gibt!

Pfarrgemeinde und Caritas und deren wechselseitige Beziehungen sind ein bleibend wichtiges Thema für die Kirche, wenn sie nach ihrem Auftrag in der sich ändernden Gesellschaft fragt. Speziell unsere Situation in den neuen Ländern mit den tief greifenden Umbrüchen in Politik und Gesellschaft, vor allem auch im Sozialbereich, macht dieses erneute Nachdenken über die Beziehungen zwischen Gemeinde und Caritas aktuell. Die äußerlichen Veränderungen der Caritasarbeit, z. B. die stärkere Professionalisierung, die Einbindung in staatliche Vorgaben und Kontrollen, die Eigendynamik eines Sozialverbandes mit seinen Strukturen sind uns allen offensichtlich. Weniger erkennbar, wenngleich ebenso einschneidend, sind jedoch auch andere Veränderungen von Mentalitäten, Einstellungen und Verhaltensweisen, etwa das Nachlassen der Bindungskräfte der Familien und Kleingruppen, zunehmende Erwartungen an staatliche Absicherungen der Lebensrisiken, die Vergesetzlichung der Sozialarbeit, ihre Kommerzialisierung (Stichwort: Privatisierung) u. a. m. „Irgendjemand muss doch da zuständig sein!" Dieses oft gehörte Wort bezeugt eine Haltung, die alle sozialen Fragen an Instanzen abdelegiert und die Verantwortung des Einzelnen oder freier Initiativen erschwert.

Biblische Erinnerung – Jesu Christi Gegenwart im Wort, Sakrament und im Nächsten

An zwei grundlegende Aussagen des christlichen Glaubens möchte ich erinnern. Die Kirche weiß als die Gemeinde des auferstandenen und erhöhten Christus ihren Herrn in doppelter Weise in ihrer Mitte gegenwärtig, einmal in seinem Wort und Sakrament und in den Kleinen und Hilfsbedürftigen.

Wo Gottes Wort, die Verheißung des Evangeliums von der Kirche verkündigt wird, ist Christus am Werk. Und wo die Kirche Sakramente feiert, tauft, die Eucharistie darbringt, ist Christus der in unserer Mitte Betende und Opfernde. Also: Christusgegenwart im Kerygma und der Liturgie der Kirche. Man könnte als biblischen Beleg die Aussendungsrede nehmen: „Wer euch hört, hört mich!" (Lk 10,16) bzw. den Abendmahlsauftrag Jesu: „... mein Leib ... mein Blut ... Tut dies zu meinem Gedächtnis" (Lk 22,19 ff.).

Zum anderen aber ist Christus gegenwärtig in den Kleinen und den Geringen, in den Armen und in den Kranken.

Die Jünger erhalten die Weisung, in der Zuwendung zum Menschenbruder in Bedrängnis nicht nur einen sozialen Dienst zu sehen, sondern einen Dienst am Herrn selbst (vgl. vor allem Mt 25: „Was ihr einem meiner geringsten Brüder getan habt, das habt ihr mir getan"). Die Jüngerschaft und damit die Kirche wird in Mt 18, wo es um das Leben der Kirche als Gemeinschaft geht, begründet mit der Achtung vor den Kleinen, die nicht verführt, nicht verachtet werden dürfen, durch die Sorge um den bzw. die Verlorenen, durch die Verantwortung für den Bruder, der sich verfehlt hat, durch die Barmherzigkeit, die wir einander gewähren müssen. Also: Christuspräsenz durch Diakonie und Koinonia/Bruderschaft.

Diese beiden Grundweisen der Gegenwart Christi sind sozusagen der Kirche ins Fundament geschrieben. Das ist ihr Markenzeichen: Verkündigung der Frohbotschaft durch die Jahrhunderte und weltweit, die die Liturgie/Gottesdienst im weitesten Sinn einschließt; und die Diakonie, die in den eigenen Reihen in dem bruderschaftlichen Umgang miteinander ihren Anfang nimmt und den Lebens- und Todesdienst Christi präsent hält bis ans Ende der Zeiten.

Von diesen Überlegungen her zeigt sich: Das karitative Handeln der Kirche ist mehr als nur Bekräftigung, „Beglaubigung" des Glaubens, zum Glauben hinzutretendes Ornament etc., sosehr man das alles auch mit gewissem

Recht sagen kann (Liebe als „Frucht" des Glaubens, fides caritate formata: „Glaube, der in der Liebe wirksam ist" Gal 5,6). Die Caritas (im weitesten Sinn), also die Zuwendung weg von mir, von uns hin zum anderen, zu den anderen, besonders den Notleidenden, ist aktualisierter Glaube. Die Caritas hat sakramentalen Charakter. Sie macht Christus präsent als Zeichenhandlung, aber ebenso effektiv und heilbringend wie die Eucharistie.

Wenn ich das so sage, merken wir, wie fremd uns Gläubigen dieser Gedanke im alltäglichen Vollzug unserer Frömmigkeit ist. Die Kirche hat das immer festgehalten, besonders im Leben der großen Caritasheiligen; aber durch Reformation und Gegenreformation sind wir so auf den Glaubensbegriff fixiert (Katechismus, Glaubensbekenntnis), dass dieser Gedanke der Gegenwart Christi in den Armen unter uns in der Breite des religiösen Empfindens der Katholiken nicht so präsent ist wie etwa die eucharistische (Tabernakel-)Frömmigkeit.

Den Unterschied zwischen verfasster Caritas und nicht verfasster Caritas und daran angeschlossen von Caritas und Seelsorge bzw. Pastoral möchte ich anhand folgender biblischer Gleichniserzählung kurz deutlich machen.

Das Gleichnis vom barmherzigen Samariter in Lk 10,30-35 kennt zwei Arten von Hilfeleistung: die akut-notwendige Hilfe des Samariters, der (zufällig!) des Weges daherkommt und die professionelle (!) Hilfeleistung der „Institution" Gasthaus/Herberge. Der Reisende setzt ja in der Geschichte seinen Weg fort. Er delegiert seine Sorge (unter Heranziehung von 2 Denaren!) an die Herberge und ihr Personal, wiewohl er bereit ist, später noch einmal nach dem Opfer zu schauen und ggf. weiter für ihn (auch finanziell) einzustehen.

Man könnte in dieser Geschichte gleichsam so etwas wie eine neutestamentliche „Gründungsgeschichte" der Caritas sehen. „Diakonie ereignet sich in unterschied-

lichen alltäglichen Vorgängen und professionellen Bereichen sowie auf unterschiedlichen lokalen und strukturel-
len Ebenen. Ein Sich-gegenseitig-Ausspielen von direkt
personaler Hilfe zwischen den Menschen (z. B. Nachbar-
schaftshilfe im Wohnviertel einer Gemeinde) und ge-
lernt-beruflicher Hilfeleistung in Institutionen oder in
der Akuthilfe (in Krankenhäusern) und Langzeitgemein-
schaft (in der sozialen Rehabilitation) ist demnach völlig
unergiebig und kontra-effektiv zu einem umfassend zu
vertretenden Diakonievollzug unter den Bedingungen
hoch entwickelter Ausdifferenzierung in modernen Gesellschaften (O. Fuchs)."

Unsere Geschichte zeigt, wie das Ineinander von verfasster und nicht verfasster Caritas erst die wirksame
Hilfe für den Betroffenen ins Werk setzen kann. Aber
auch im weiteren Verlauf der Hilfeleistung: Gibt es ein
solches „Vorbeischauen" im späteren Prozess der Hilfeleistung, wie es der Samariter praktiziert? Auf das Zusammenspiel von Sozialfürsorge vor Ort und der Pfarrgemeinde übertragen: Kommen jene, die in der Fürsorge,
der Sozialstation, einer Caritaseinrichtung in der Gemeinde „zu Wort"? Haben unsere Gemeinden ein Senso-
rium dafür, dass die Sozialarbeiter mit Menschen zu tun
haben, die auch der Sorge der Gemeinde anvertraut sind?
Kann es das geben (unter Wahrung der Anonymität der
Betroffenen): ein „später Vorbeischauen", indem die gemeinsame Sorge der institutionell Tätigen und der Gläubigen zum Ausdruck kommt, die akut mit einer Men-
schennot in Berührung kämen?

Das Ineinander und Nebeneinander von Caritas und Gemeindepastoral

Die gesellschaftliche Entwicklung bringt es mit sich, dass viele Lebensvorgänge heutzutage professionalisiert sind. Daran ist auch vieles richtig und lebensnotwendig. Mit meinem Krebsgeschwür muss ich mich dem Facharzt stellen, aber nicht alles, was der Tumor mit mir macht, ist vom Facharzt zu behandeln! Die verfasste Caritas hat ca. 28 000 Einrichtungen in Deutschland mit nahezu 300.000 Mitarbeiter/innen. Schnell ist da die Gefahr gegeben, dass die verfasste Caritas den Gemeinden die Begegnung mit dem „Nächsten" und seiner Not wegorganisiert. Das aber hat schlimme Folgen für die Gemeinden selbst, die den Kontakt mit der umgebenden gesellschaftlichen Realität verlieren, aber auch für die Menschen in Not, die der Professionalität ausgeliefert sind und damit zum Objekt von Betreuung werden (Pathologisierung, Pädagogisierung, Therapeutisierung der Not!). Die Chance der mitmenschlichen Begegnung und der nicht-professionellen Zuwendung zum Nächsten als Person wird geringer.

Aber ich möchte noch grundsätzlicher ansetzen: Wir sollten den manchmal sehr engen Gemeindebegriff durch die Besinnung auf die sozial-karitative Sendung von Kirche ausweiten. Der kirchliche Charakter einer Gemeinschaft zeigt sich nicht nur darin, dass diese eine Glaubens- und Bekenntnisgemeinschaft ist, dass die Mitglieder miteinander Gottesdienst feiern und die Sakramente empfangen, sondern auch, dass sie sozial-diakonisch handeln (ohne dabei den Gottes-/den Christusbezug ausdrücklich zu leugnen). Man könnte dieses Ineinander, aber auch unverwechselbare Getrenntsein von Caritas und Pastoral an der Zweinaturen-Lehre des kirchlichen Christusbekenntnisses illustrieren: In Jesus

Christus sind Gott und Mensch *unvermischt*, aber *ungetrennt*. Es handelt sich um zwei Wirklichkeitsbereiche, aber sie gehören engstens, ja unzertrennbar zusammen, es sei denn um den Preis, dass man diese komplexe Wirklichkeit (hier: den Jesus Christus des kirchlichen Glaubens, auf unser Thema übertragen: den authentischen Lebensvollzug von Kirche) nicht mehr hat.

„Unvermischt": Es ist klar, dass professionelle Caritas mehr kann als der auf seine Weise helfende „Laie". Der eine ist eben Fachmann (im Beratungsbereich, in der Suchthilfe, in der Pflege etc.), der andere ist „Laie", aber deswegen nicht „Dilettant" (es sei denn, er maßt sich Fachbefugnis an). Es gibt keinen Grund, sich gegenseitig die karitative Kompetenz abzusprechen. Denn: Ohne die Basiskultur einer allgemeinen diakonalen Mentalität in unseren Gemeinden hängt die Hochkultur der professionellen Caritas in der Luft, verliert sie ihr kirchliches Profil, wird sie einfach Sozialdienstleistung, wie sie viele auf dem Markt anbieten. Also zu dem „unvermischt" muss das „ungetrennt" hinzutreten. Gerade im Beratungsdienst zeigt sich, dass meistens zur Fachberatung das häusliche oder ein anderes Bezugsfeld für den Klienten hinzukommen muss, das Veränderung herbeiführen und stabilisieren kann. Der Fachmann ist auf nichtprofessionelle Mithilfe angewiesen.

Aber das gilt eben auch im theologischen Sinn: Die Arbeitsteiligkeit zwischen Caritas und Pastoral ist grundsätzlicher Natur. Ohne die Gemeinde bleibt Caritas nicht Caritas, und ohne Caritas bleibt Gemeinde nicht Gemeinde.

Darum ist es auch von unserer Seelsorgestrategie her notwendig, möglichst viele Kommunikationsräume zwischen Caritas und Gemeinde zu schaffen, zwischen Hauptamtlichkeit, Ehrenamtlichkeit und Selbsthilfe-Gruppen (um diese drei Grundformen gesellschaftlich verfasster

Sozialarbeit zu nennen). Das setzt natürlich voraus, dass beide Bereiche sich nicht gegenseitig verdächtigen, sich nicht die Kirchlichkeit absprechen, sich im Gegenteil achten und schätzen. Es muss der Wille da sein, sich gegenseitig in seinem Christ-, in seinem Kirchesein zu bereichern. Könnte z. B. ein Gemeinde-Bibelkreis mit einem sozialen Arbeitskreis einer Gemeinde/der Region/eines Verbandes sich hin und wieder austauschen? Nochmals: „unvermischt": Ein Bibelkreis wird nicht zum Sozialkreis, ein Behinderten-, ein Altenheim wird nicht eine Verkündigungsgemeinde und umgekehrt: eine Pfarrei wird nicht eine „Sozialgemeinde". Aber es gilt eben auch: „ungetrennt" müssen im Leben der Kirche beide Vollzüge da sein, wie das Atmen mit den zwei Lungenflügeln; sonst wird die Kirche „kurzatmig".

Eine soziale Initiative bzw. Organisation hat kirchlichen Charakter, wenn in ihrer Hilfe und Dienstleistung Christus diakonal präsent wird, und das heißt: wenn Christus auch verbal und sakramental eingelassen wird, und zwar mit den Betroffenen. Den Glauben bekennen und sozial handeln sind die Kehrseiten ein und derselben Medaille. In beiden Vollzügen ereignet sich Kirche, wird durch sie Christus gegenwärtig, berührt ER die Menschen heilend und befreiend. Das heißt nicht, dass Glaubensbekenntnis und Gottesdienst einfach in Diakonie aufginge: unvermischt! Wenn ich helfe, helfe ich, wenn ich berate, berate ich etc. Aber ungetrennt: ich tue es als Glaubender und ich tue es in einer Gemeinschaft der Glaubenden, die mich darin unterstützt, motiviert, bestärkt und begleitet.

Der pastorale Gewinn
einer pfarrgemeindlichen Alltagscaritas

Ein Seelsorger muss darauf achten, dass er beiden Grundvollzügen des Kirche-Seins hinreichend Raum in der Gemeinde gibt: Martyria und Diakonia. Es gibt eine sakramental verengte Pastoral, aber es gibt auch eine Pastoral, die sich in Sozialarbeit verliert.

Die Einbeziehung der Caritasdimension in die Gemeindepastoral findet folgenden Gewinn:

Wer sich menschlicher Not stellt, wird offener für Gott. Unseren Gemeinden haftet oft eine gewisse „Bürgerlichkeit" an. Gerade durch die neue gesellschaftliche Situation nach der Wende gibt es Tendenzen zu einer Gemeinde, in der sich die mittleren Einkommensschichten sammeln, aber die „Kleinen", die Benachteiligten draußen vor bleiben. Die echte menschliche Not versteckt sich ja gern. Ich verstehe unter den Benachteiligten die ganze Palette von Benachteiligungen, denen Menschen ausgesetzt sein können: Behinderungen, Krankheiten, Einsamkeit, Suchtabhängigkeit, materielle Not, Überforderung u. a. m. Wir müssen als Seelsorger und Sozialarbeiter helfen, dass die Gemeindemitglieder sensibel werden für heute in unserer Umgebung anstehende Not. Die professionelle Sozialarbeit kann hier in der Gemeinde helfen, Augen zu öffnen; aber umgekehrt kann auch die Gemeinde selbst, in der die Armen ja ein Heimatrecht haben, den professionell Arbeitenden vermitteln, wie vielgestaltig und vieldimensional heute Not sein kann.

Die geistigen und faktischen Grenzen von Gemeinde werden durch den Einbezug der Caritasarbeit ausgeweitet. Es sind meistens mehr Menschen sozial engagiert, als zur Kirche kommen bzw. am gottesdienstlichen Leben der Gemeinde teilnehmen. Wenn es gelänge, den gemeindefernen, kirchendistanzierten Getauften deutlich zu machen: In eurem konkreten Dienst am Nächsten (hauptamtlich, ehrenamtlich, Selbsthilfegruppen etc.) bekennt ihr durch euer Tun euren Glauben. Das wäre keine „Vereinnahmung" dieser distanzierten Menschen, sondern u. U. eine Chance, ihnen wieder Heimatrecht in der Gottesdienstgemeinde zu geben, aus der sie sich aus unterschiedlichen Gründen verabschiedet haben. Es geht um die Anerkennung, die Hochschätzung ihres Engagements!

Die Einbeziehung der hauptamtlichen karitativen Mitarbeiter mit ihrer „Kompetenz" bereichert das Gemeindeleben. Es ist kein Geheimnis: Auch unter den Caritasmitarbeitern findet sich Kirchenmüdigkeit, Glaubensdistanziertheit, besonders wenn biografische Probleme dazukommen. Es ist wichtig, dass hauptamtlich Tätige im Caritasdienst der Kirche erkennen, dass ihr Beruf etwas mit ihrem Glauben zu tun hat. Ja, dass ihre berufliche Arbeit sie Christus näher bringen kann, also eine spirituelle Dimension hat. Das gilt natürlich auch für andere Berufsarbeit, aber eben doch auch und besonders für jene, die sich die Zuwendung zu menschlicher Not zur Lebensaufgabe gemacht hat. Hier können wir als Seelsorger helfen, dass solche Menschen von innen her immer neu auch geistlich motiviert werden und bleiben, und auch ihrerseits die Ehrenamtlichen in der Gemeinde „anstecken". Darum müssen kirchliche Sozialarbeiter in der Gemeinde, im Gottesdienst „vorkommen", auf ihren Dienst hin angesprochen werden, auch von ihren Erfahrungen berichten können etc.

Viele Gemeindemitglieder lassen sich auf neuere Formen sozialen Engagements hin ansprechen. Die Vinzenz- und Elisabeth- oder Caritasgruppen sind meist, wenn vorhanden, für die ganze Gemeinde ein Segen. Aber es gibt auch neuere Formen des Engagements, die besonders in der jetzigen politischen Situation auch uns möglich sind: Patenschaften, Besuchsdienste, Fördervereine. Nach dem Betreuungsgesetz vom September 1990 kann ein rechtsfähiger Verein als Betreuungsverein anerkannt werden, wenn er sich u. a. planmäßig um die Gewinnung ehrenamtlicher Betreuer bemüht, diese in ihre Arbeit einführt, fortbildet und berät. Nach dem Kinder- und Jugendhilfegesetz vom Juni 1990 sollen Mütter, Väter und andere Erziehungsberechtigte, die die Förderung von Kindern selbst organisieren wollen, beraten und unterstützt werden. Und schließlich wünscht sich das Pflegeversicherungsgesetz vom Mai 1994 eine „neue Kultur des Helfens", und dabei ist das Ehrenamt im Blick. Es gibt also ein weites, den Priestern oft noch unbekanntes Feld von neuen Kooperationsmöglichkeiten zwischen professioneller und ehrenamtlicher Arbeit, wo Pfarrgemeinden sinnvoll sich einbringen können. Erfreulich finde ich beispielsweise auch manche Initiativen von Seiten der Sozialverbände, etwa Gruppen zur Sterbebegleitung (Hospiz-Bewegung) u. a.

Die nicht-professionelle Caritasarbeit der Gemeinden bereichert die professionelle Sozialarbeit. Ich hatte schon angedeutet, dass gerade die Spezialisierung vieler Dienste die ganzheitliche, menschliche Dimension der Hilfe in Not verkürzt. Hier ist ehrenamtliche soziale Arbeit viel näher an den Menschen als der Spezialdienst. Solche Arbeit ist oft erfrischend spontan. Sie ist auch insofern wichtig, als sie die professionelle Hilfe absichert und ihr „Nachhaltigkeit" gibt. „Die Ehrenamtlichen können bewirken, dass in ihren Lebenswelten das Bewusstsein der Hilfsbereitschaft und Solidarität lebendig bleibt. Sie können dazu beitragen, dass es nicht zum völligen Verlust von Hilfsgemeinschaften und helfenden Beziehungen kommt und professionelle Hilfssysteme für die Not der Menschen als allein zuständig erklärt werden. Somit verhindern die vielen Gruppen und Initiativen von Helferinnen und Helfern, dass eine totale Pathologisierung, Pädagogisierung und Therapeutisierung unserer Gesellschaft stattfindet (H. Puschmann)." Ich füge hinzu: ich finde es auch nicht gut, wenn sich der soziale Dienst zunehmend privatisiert und damit auch kommerzialisiert. Gesundheit und Krankheit, körperliche und seelische Hilfeleistung und Beratung sind nicht einfach Waren, die man „einkaufen" kann. Sie sind humane Akte, die etwas mit Menschenwürde, mit Selbstachtung und letztlich mit dem Gottesglauben zu tun haben. Hier steht die Kirche mit ihrer Caritas zwischen Markt und Staat, zwischen völliger Liberalisierung und völliger Verstaatlichung der Sozialleistung. Unsere Pfarrgemeinden mit ihren karitativen Aktivitäten sind ein wichtiger Faktor für eine menschliche Entwicklung unserer Gesellschaft. Das sollten unsere Gemeindemitglieder auch gesagt bekommen!

4. Den Menschen Nähe bringen – das Ehrenamt

Das Leben stützen

Die Caritas in der Gemeinde lebt besonders von dem persönlichen Engagement eines jeden Einzelnen. Dieses persönliche Engagement möchte ich festmachen an dem Stichwort Ehrenamt! Was heißt ehrenamtlicher, karitativer Dienst?

Es gibt mancherlei lebensfeindliche Tendenzen in unserer Gesellschaft. Verkehrstote, Gewalt auf den Straßen, in den Medien, Abtreibungen, Drogengefahr, lebensgefährliche Spiele u. a. sind Indizien. Die Werbung suggeriert ein trügerisches Lebensbild. „Wenn du nicht gesund und stark bist, bist du selbst daran schuld!" Der christliche Glaube antwortet: Das Leben ist gute Gabe des Schöpfers. Es ist Verheißung ewigen Lebens. Damit entfällt der Zwang, sich selbst das Leben in seinem Sinn sichern zu müssen. Jedes menschliche Leben ist, einfach weil es existiert, sinnvoll und gut, auch das Leben der Alten, der Kranken, der Behinderten.

Der ehrenamtliche Dienst sollte helfen, das Leben zu stützen. „Du bist wertvoll!" „Du brauchst am Leben nicht zu verzweifeln!" Diese Botschaft ist durch viele Zeichen und Taten vermittelbar. Mögliche Anstöße: Mut zum Leben machen; helfen, das ungeborene Leben anzunehmen; Familien mit Behinderten stützen; alte Menschen beraten, ihrem Erzählen ein Ohr leihen, ihnen menschliche Nähe vermitteln, ggf. durch Kontakte mit anderen; Leben unter Schmerzen oder gar an der Todesgrenze durch den Hinweis auf das Kreuz Christi letzten Glaubenshalt geben u. a. m. Ehrenamtlicher Dienst könnte helfen, das Leben zu „feiern". Es ist wichtig, Freude zu wecken, zum Feiern Anlass und Hilfen zu geben, Menschen, die vereinsamen, zusammenzuführen, auch den Sinn für den Gottesdienst zu wecken und zur „Feier des Lebens" in den Sakramenten ermutigen und diese begleiten.

Zur Gemeinschaft Mut machen

Manche Signale in unserer Gesellschaft deuten auf eine zunehmende Bindungsschwäche der Menschen: zerbrechende Ehen, Priester und Ordensleute, die ihre Lebensentscheidung nicht durchhalten, Abdelegieren von Verantwortung an „Institutionen", an den „Staat". Man spricht von einer Individualisierung der Gesellschaft, einer Entsolidarisierung: Jeder für sich, keiner für alle.

Der christliche Glaube lehrt uns: Der Mensch ist als Ebenbild des dreifaltigen Gottes zur Gemeinschaft gerufen. Er kommt erst dann zu sich selbst, wenn er sich selbst vergisst. Ein Hinweis darauf ist die Erfahrung: Richtig froh und glücklich sind wir meistens dann, wenn wir nicht an uns selbst denken. Die Nachfolge Christi stiftet Gemeinschaft. Das ist das Wesen der Kirche: Wir glauben miteinander der Treue Gottes, nicht jeder für sich allein. Wir sind auch füreinander verantwortlich. Gott wird mich einmal nach meinem Bruder, meiner Schwester fragen. Das russische Märchenmotiv erzählt: In der Hölle sind zwar die Tische reich gedeckt, aber die Leute mit ihren überlangen Löffeln wollen jeder für sich allein essen – und sie verhungern. Im Himmel reichen sie sich einander die Speisen, und alle werden satt.

Der ehrenamtliche Dienst ist dort wichtig, wo er Menschen zueinander führt, wo er sie „vernetzt". Jeder Hausbesuch ist ein Segen. „Da schaut doch einmal jemand nach mir!" Darin kommt das Wesen der Kirche zum Vorschein. So schaut Gott nach uns. Sinnvoll ist es besonders, andere in diese „Vernetzung" mit einzubeziehen. Im Hugo-Aufderbeck-Seminar in Erfurt z. B. helfen Senioren, anderen Senioren ihren Lebensalltag sinnvoll zu gestalten und miteinander Freude zu haben. Wichtig ist es, Menschen Mut zu eigenen Initiativen zu machen: „Sie schaffen das ... Ich helfe Ihnen ..." Ein solches Wort kann Wunder wirken. Senioren können jungen Menschen Lebenserfahrungen vermitteln. Die Begegnung der Generationen fällt heute oftmals aus. Wo erleben Jugendliche Krankheit aus der Nähe, vielleicht sogar einmal Sterben und Tod? Wer erzählt ihnen, was eigentlich Krieg bedeutet, Leben in einem Unrechtsstaat?

Mit den Schwachen Erbarmen haben

Unsere Gesellschaft ist auf Leistung orientiert, auf „Effizienz". Der „westliche" Arbeitsstil bringt für ehemalige DDR-Bewohner zusätzlich Probleme. Wir waren nicht gewohnt, selbst zu „denken". Es „wurde gedacht" und dadurch z. T. der Mensch unmündig gemacht. Jetzt ist genau das Gegenteil verlangt. Sich selbst regen, sich kümmern! Anträge stellen, wissen, wo es etwas gibt, Rechte einfordern und Leistungen abrufen. Viele kommen da nicht mit. Es besteht die Gefahr, dass viele sich „hängen" lassen, abstumpfen. Sekten gehen bei solchen Menschen auf Seelenfang. Die Freiheit bringt nicht nur Erleichterung, sie kann auch überfordern.

Der christliche Glaube weiß, dass der Mensch aus Gnade gerettet wird. Er muss sich nicht selbst seine Rechtfertigung verdienen. Auch der schuldig Gewordene hat einen Platz in der Kirche. Für niemanden ist bei Gott die Tür verschlossen, wenn er nur umkehren will und sich Gottes Erbarmen öffnet. Auch im Versagen sind wir gehalten. Darum kann der gläubige Mensch jedem Leben „zustimmen", auch dem „gekreuzigten" Leben, auch einem äußerlich „verpfuschten" Leben. Der Atheist muss auf solches misslungenes Leben mit Protest, mit Verbitterung, mit Resignation antworten.

Der ehrenamtliche Dienst könnte Zeichen des Erbarmens setzen, besonders dort, wo staatliche Vorsorge nicht mehr greift. Es gibt Dienste, die niemals mehr Menschen aufhelfen können, weil diese schon zu kaputt sind. Dennoch müssen sie geleistet werden. In den meisten Fällen müssen sicher soziale „Fachdienste" helfen (Sucht, psychisch Defekte, Verschuldung, Straffälligkeit). Doch gibt es auch Lebenstragik, die irreparabel ist (allein Gelassene, „Geschlagene", vernachlässigte Kinder, Menschen an der Grenze der Verwahrlosung). Besonders schwer sind

Dienste dort, wo kein „Erfolg", noch nicht einmal Dank zu erwarten ist. Wichtig wäre auch die Zuwendung zu solchen, die mit kirchlichen Erwartungen in Konflikt gekommen sind. Geschieden Wiederverheiratete distanzieren sich oft vom Gemeindeleben, weil sie meinen, jeder schaue sie schief an. Der Kontakt, der Besuch, die selbstverständliche Haltung: „Auch ihr gehört dazu!" kann oft Wunden heilen. Wo möglich, ist auch der Krankenbesuch und der Beistand für Sterbende ein wichtiger Dienst. Die Mitarbeiter der Sozialstationen sind oftmals im „Stress", der Ehrenamtliche kann durch Zuwendung und Zeit „Erbarmen" üben.

Der ehrenamtliche soziale Dienst in den Gemeinden ist im wahrsten Sinn „unbezahlbar". Sozialinstitutionen sind wichtig und unersetzlich, aber ehrenamtliche Dienste schaffen durch Phantasie und Liebe das, was unser Leben menschlich macht: Nähe, Zuwendung und gegenseitiges Erbarmen. Die hl. Elisabeth ist darin Vorbild und Ansporn bis heute. An ihr ist zu lernen, dass die Nächstenliebe aus der Liebe zum gekreuzigten Herrn entspringt. Dort fließt die Quelle, die auch unseren ehrenamtlichen Dienst in den Pfarrgemeinden immer neu stärken kann.

5. Vision von Kirche – Das Licht auf den Leuchter stellen

Kirche leben – viele Aufgaben und Herausforderungen habe ich genannt, viele Möglichkeiten aufgezählt, wie Glaube und Christsein heute fruchtbar gelebt werden kann. Doch eine Sache möchte ich noch nennen: der Mut, anderen von unserem Glauben zu erzählen. Wie sich die Kirche in Zukunft zeigt, hängt von diesem Punkt ab. Sind wir bereit, unseren Mitmenschen von Gott und unserem Glauben zu erzählen?

Manchmal hat man den Eindruck, dass unserer katholischen Kirche in Deutschland etwas fehlt. Es ist nicht das Geld. Es sind auch nicht die Gläubigen. *Unserer katholischen Kirche in Deutschland fehlt die Überzeugung, neue Christen gewinnen zu können.* Das ist ihr derzeit schwerster Mangel. In unseren Gemeinden, bis in deren Kernbereiche hinein, besteht die Ansicht, dass Mission etwas für Afrika oder Asien sei, nicht aber für Hamburg, München, Leipzig oder Berlin.

Es ist eine Tatsache, dass religiöse Vorgaben, überhaupt gesellschaftliche Gepflogenheiten heute nicht mehr so fraglos übernommen werden wie in vergangenen Generationen. Darüber zu klagen, ist wenig sinnvoll. Es ist einfach so, und wir beobachten solches Verhalten auch an uns selbst.

Dies bringt, so meine ich, eine entscheidende Chance mit sich: Der christliche Glaube wird wieder neu zu einer echten persönlichen Entscheidung. Das Traditionschristentum wandelt sich mehr und mehr zu einem Wahlchristentum. Damit rücken wir wieder an die Ursprungszeit des Christentums heran, in der der Taufe die persönliche Bekehrung voranging – ohne dass die ständige Umkehr nach der Taufe unnötig wurde!

Nun wissen wir: Bekehrungen sind nicht zu „machen". Sie stellen sich nicht auf Befehl ein. Nur Gott allein kann Menschen zu Umkehr und Lebenserneuerung bewegen. Doch ist diese Aussage kein Alibi dafür, die Hände in den Schoß zu legen und auf das göttliche Wunder einer automatischen „Christenvermehrung" zu warten.

Wir alle stehen in der Sendung Jesu. Er verstand sich als der „Bote Gottes", als „Evangelist" für sein Volk und die Menschen seiner Zeit. Er hat die Jünger, und somit auch uns, eindringlich aufgefordert, selbst seine Boten für die Zeitgenossen zu werden. „Macht alle Menschen zu meinen Jüngern!", ruft der auferstandene Herr auch der Kirche unserer Tage zu. Und das ist durchaus programmatisch gemeint.

Wie antworten wir auf diese Aufforderung? Sagen wir wie die Jünger nach erfolglosem Fischfang: „Meister, wir haben die ganze Nacht gearbeitet und nichts gefangen"? Ein Pfarrer sagte mir einmal halb ernst, halb scherzhaft: „Ich habe hier an meinem Ort mit ‚fortlaufendem Erfolg' gearbeitet!" Und er meinte damit, dass sich die Katholikenzahl in den letzten 20 Jahren seines Wirkens um die Hälfte verringert hat. Die Jünger belassen es bekanntlich nicht bei ihrem resignativen Stoßseufzer. Petrus, als ihr Sprecher, rafft sich in dieser biblischen Szene auf und fügt hinzu: „Doch wenn du es sagst, werde ich noch einmal die Netze auswerfen!" Das klang zwar auch nicht sonderlich begeistert, aber es war immerhin ein Anfang!

Ich habe die Vision einer Kirche in Deutschland, die sich darauf einstellt, wieder neue Christen willkommen zu heißen. Diese Vision wird hier und da schon Realität. Im Jahr 1998 wurden in allen deutschen Diözesen 248000 Kleinstkinder getauft, aber auch 3500 Jugendliche bzw. Erwachsene. Je mehr sich Menschen, zum Teil schon in der zweiten und dritten Generation, von der Kirche entfernt haben, desto mehr wird es Einzelne geben, die sich aufgrund persönlicher Entscheidung Gott und der Kirche zuwenden wollen. Es wird in Zukunft Frauen und Männer geben, die – obwohl getauft, aber später nicht voll in die Kirche eingegliedert – das Verlangen haben, als Erwachsene diese „Einführung in das Christ-Sein" nachzuholen. Es gibt nicht nur Menschen, die die Kirche, in der sie oft gar nicht richtig verwurzelt waren, verlassen. Es gibt zunehmend auch Zeitgenossen, die nach dem „Eingang" fragen, der in die Kirche hineinführt. Es ist entscheidend, wen sie in diesem Eingangsbereich treffen. Es wird wichtiger werden als bisher, wie sie dort empfangen werden.

Was muss geschehen, damit die katholische Kirche in unserem nun geeinten Deutschland wieder Mut fasst, ihren ureigensten Auftrag anzugehen? Die Kirche ist nicht um ihrer selbst willen da. Sie soll Gottes Wirklichkeit bezeugen und möglichst alle Menschen mit Jesus Christus, mit seinem Evangelium in Berührung bringen.

Eine verdrossene und von Selbstzweifeln geplagte Kirche kann das freilich nicht; auch nicht eine Kirche, die sich vornehmlich mit sich selbst beschäftigt. Was ist zu tun?

Aus Verdrossenheit und Selbstzweifeln kommt man am schnellsten heraus, wenn man sich einer lohnenden Aufgabe zuwendet, noch besser: wenn man sich einem Mitmenschen zuwendet. Auf unsere Kirche, besonders in den neuen Bundesländern, aber eben nicht nur dort, wartet eine solche lohnende Aufgabe. Es warten Menschen auf unser Lebenszeugnis. Sie warten darauf zu erfahren, was Jesus Christus für uns im Alltag unseres Lebens bedeutet. Sie warten nicht nur darauf, sie sind schon dabei, dies unauffällig, aber kritisch-interessiert zu beobachten.

„Zuwendung zu den Menschen" – natürlich geschieht das immer schon in unseren Diözesen, Tag für Tag, durch tausende Frauen und Männer – ausdrücklich im Auftrag der Kirche oder einfach als Mensch unter Mitmenschen. Auf diese Präsenz unserer Kirche mitten in der Gesellschaft – im Geist und in der Gesinnung Jesu – bin ich stolz. Das ist der eigentliche Reichtum der Kirche.

Meine Frage lautet: Wäre dieses „Kapital" nicht zu nutzen? Ist in dieser Zuwendung zu den Menschen nicht angelegt, was wir „Mission" und „Evangelisierung" nennen? Ich gebe zu: Diese Begriffe haben für manche Zeitgenossen, auch für manche Katholiken einen Unterton, der nach Belehrung, ja nach Indoktrination riecht. Wir sollten daher bei ihrem Gebrauch vorsichtig sein. „Mission" heißt für mich schlicht: das weitersagen, was für mich selbst geistlicher Lebensreichtum geworden ist. Und „Evangelisieren" meint: dies auf die Quelle zurückführen, die diesen Reichtum immer neu speist: auf das Evangelium, letztlich auf Jesus Christus selbst und meine Lebensgemeinschaft mit ihm. Nicht die Begriffe sind wichtig. Es geht um die gemeinte Sache.

Um es einmal in einem Bild zu sagen: Wer zu einem Fest einladen will, wird sich um drei Dinge zu sorgen haben: dass seine Einladung glaubwürdig ist; dass sie wirklich „ankommt" und dass sie Vorfreude weckt. Von diesem Bild „Einladung" zu einem Fest ausgehend, möchte ich drei Herausforderungen für eine „missionarische und evangelisierende Kirche" in Deutschland skizzieren.

Glaubensweg und Nachfolge Jesu setzt frei

Am Beginn jeder Evangelisierung der Welt steht unsere „Selbstevangelisierung". Wir sind als Christenmenschen auf einem Weg. Wir stehen nicht am Anfang. Wir haben schon vom Evangelium „geschmeckt". Wir haben schon gute Erfahrungen mit Gott und dem Christsein gemacht. Und genau diese, durchaus anfanghaften und scheinbar so unbedeutenden eigenen Erfahrungen sind die Grundlage für unsere Befähigung, das Evangelium für andere interessant werden zu lassen.

Für mich kann ich bezeugen: Die geistige Armut des alten ideologischen Systems im Osten Deutschlands hat mich meinen katholischen Glauben als Bereicherung erfahren lassen: sein Menschenbild, seine Welt- und Lebensdeutung, seine sittlichen Grundsätze und kulturellen Ausprägungen. Ich habe mich als katholischer Christ in den DDR-Jahren „freigesetzt" gefühlt, nicht: „kirchlich gebunden". Nach zehn Jahren Erfahrung mit der „Nachwende-Gesellschaft" und ihren (zugegeben!) andersartigen „Torheiten" habe ich bis heute noch keinen Grund gefunden, diese Einschätzung zu revidieren. Sind ähnliche Erfahrungen nicht auf andere Weise auch „im Westen" gemacht worden?

Meine Erfahrung ist: Nichtkirchliche Zeitgenossen reagieren dort sehr aufmerksam, wo Christen in Gesprächen, in Alltagsbegegnungen mit eigenen Lebenserfahrungen „herausrücken". Persönliches interessiert immer! „Wie hast du das gepackt?" „Wie ist es dir damit ergangen?" Christen, die andere an ihrem Leben teilhaben lassen, gerade auch, wenn es nicht glatt und problemlos verläuft, sind für ihre Umwelt interessant. Unser eigener, ganz persönlicher Gottesglaube, auch mit seinen Zweifeln und Fragen, muss „sprechend" werden – in Worten und Taten. Wer die Höhen und Tiefen seines eigenen Lebens mit österlichen Augen ansehen und deuten kann, kann auch anderen helfen, die eigene Biografie in neuem Licht zu sehen.

Wo dieses „Zeugnis des Lebens" gegeben wird, da öffnen sich Türen und Herzen. Da bekommen andere Mut, ebenfalls christliches Verhalten zu „erproben". Da erhalten alte Worte auf einmal wieder neuen Glanz, Worte etwa wie: Ehrfurcht und Staunen, Mitleid und Fürsorge, Selbstbegrenzung und Maß, um nur einige christliche Grundhaltungen zu nennen, die derzeit wieder hochaktuell sind. Wir sind reicher, als wir meinen. Christen wissen um Hoffnungsgüter, von denen die Zukunft leben wird.

Wir müssen von Gott reden

Ist das ein zu verwegener Gedanke? Mir ist bewusst: Die Menschen sind heute gegenüber Werbung, zumal wenn diese sich zu aufdringlich gibt, kritisch. Das gilt auch gegenüber religiöser Werbung. Die Menschen wollen nicht das Gefühl haben, als „Mitglieder", womöglich für eine Großorganisation, angeworben, gleichsam „vereinnahmt" zu werden.

Vielen Zeitgenossen erscheint unsere Kirche als eine Art „Großkonzern", als eine Art „global player", dem es durchaus mit Respekt, aber eben auch mit der nötigen Vorsicht zu begegnen gilt. Anders ist es, wenn Menschen von der Kirche „Gesichter" sehen. Und das sollte möglichst nicht nur der Papst sein. Mein Standardbeispiel für dieses Verlangen ist der Ausruf eines Kranken, den der Gemeindepfarrer nach längerer Zeit nun doch besuchen kam, und der den Seelsorger mit dem freudigen Satz begrüßte: „Das ist aber schön, Herr Pfarrer, dass die Kirche einmal nach mir schaut!" Wir sind für mehr Leute „Kirche", als wir ahnen!

Gibt es für uns alle nicht tausend Möglichkeiten, so nach den Menschen zu schauen – mit den Augen Jesu, mit der Bereitschaft, wie er in Wort und Tat zu sagen: „Bruder, Schwester, komm – steh auf!" „Lass dir sagen: Du bist nicht allein! Du bist angenommen! Du bist gewollt! Du bist geliebt!" In solchen Worten ist für mich das ganze Evangelium auf den Punkt gebracht. Denn es sind Worte, die eben nicht wir sprechen, sondern die durch uns Christus, der Herr, zu den Menschen spricht.

Es gibt in unseren gesellschaftlichen Breiten die verständliche Scheu, vorschnell religiöse Vokabeln zu gebrauchen. Doch darf diese Scheu nicht dazu führen, dass wir geistlich „stumm" werden. Folgende Erfahrung sollte uns Mut machen: Wirklich Authentisches hat auch heute seine Faszination! Wer einen anderen wirklich gern hat, wer ihm von Herzen gut sein will, der wird die rechte Art und Weise finden, ihn auch mit Gott und seiner Liebe in Berührung zu bringen. Und zwar „ausdrücklich", denn unser Gott hat ein „Gesicht" und einen Namen, den man anrufen kann.

Wer einmal Pfarrgemeinden in der sogenannten „Dritten Welt" oder auch in Osteuropa besucht hat, der hat dort u. U. eine Unbefangenheit und Selbstverständlichkeit des Christseins kennen gelernt, die hierzulande kaum noch anzutreffen sind. Mit Freude, ja mit Stolz „zeigen" dort die Menschen ihr Christsein. Sie, die oftmals materiell sehr arm sind, können uns mit ihrer ungekünstelten Freude und Einfachheit wirklich „reich" machen. Nach solchen Begegnungen spüre ich deutlicher als jetzt am Schreibtisch, was uns Katholiken in Deutschland fehlt.

Wir brauchen die Vision des Festes, zu dem Gott uns alle einladen will

Wir brauchen die Vision Jesu vom Gottesreich, das schon hier und jetzt, inmitten unter uns da ist. Etwa in der Art und Weise, wie wir jetzt Gottesdienst feiern, wie wir uns begegnen, wie wir miteinander und mit unseren Problemen umgehen, wie wir anderen, nichtkirchlichen Zeitgenossen begegnen. In all diesen scheinbar alltäglichen Dingen kann sich „Reich Gottes" ankündigen, auch wenn wir durchaus realistisch unsere menschliche Unzulänglichkeit und erbsündliche Gebrochenheit mit in Rechnung stellen.

Noch kürzer gesagt: Wer mit Kirche zum ersten Mal in Berührung kommt, sollte damit rechnen dürfen, willkommen zu sein. Das „Bodenpersonal Gottes" darf nicht kleinlich sein, wenn Gott selbst großzügig ist. Kirche ist zwar nicht für alles, aber doch „für alle" da. Die Kerngemeinde muss beispielsweise lernen, auch mit den kirchlich nicht ganz „Stubenreinen" gut umzugehen. Hier tun wir uns bekanntlich sehr schwer. Auch unabhängig von der Frage nach der Zulassung zu den Sakramenten müssen die Menschen spüren: Wir sind in der Gemeinde willkommen. Zeichen des „Willkommen-Seins" sind ja nicht nur die Sakramente. Der ganze Bereich der außersakramentalen Zeichen, die ja auch „Gottesberührungen" sind, wird zunehmend an Bedeutung gewinnen. Gerade auf diesem Feld hat unsere katholische Kirche eine reiche Erfahrung. Diese gilt es zu nutzen und weiterzuentwickeln.

Wir brauchen in unseren Ortskirchen „Biotope des Glaubens", existenziell glaubwürdige „Lernfelder", in denen christliche Lebenshaltungen eingeübt werden können. Das werden vornehmlich unsere Pfarrgemeinden mit ihren Lebenszellen sein, etwa kleinere Gruppen, in denen z. B. erwachsene Taufbewerber begleitet werden. Aber wir müssen im Blick auf die „bunten" Lebenssituationen der Menschen uns vermutlich noch andere christliche „Milieu-Formen" in dieser postmodernen Gesellschaft einfallen lassen.

Ich denke an die vielen Ungläubigen und „Halbgläubigen", die in Zukunft vermehrt mit der Kirche Berührung suchen werden, etwa beim festlichen Weihnachtsgottesdienst, bei der Einschulung ihrer Kinder, bei der Beerdigung eines Angehörigen, in eigener Krankheit oder manch anderen Situationen. Es gibt Erwartungen an die Kirche, die wir nicht leichthin abtun sollten. Wir sind nicht nur für die „Hundertprozentigen" da. Wir sind es ja bekanntlich selbst nicht!

Es muss sich in unserem ortskirchlichen Umfeld herumsprechen: „Da, bei der Kirche gibt es Leute, da kannst du einmal hingehen!" „Dort wirst du gut behandelt! Da hat man für dich und deine Anliegen ein Ohr!" Die Pfarrgemeinde, das Pfarrhaus, die Verbandsgruppe, andere kleine Lebensgruppen von Gläubigen müssen als „Orte" gelebter Christlichkeit, als „Orte" des Erbarmens, möglicher menschlicher „Annahme", der mitmenschlichen Nähe bekannt sein. Derzeit ist die Kirche leider mehr im Verdacht, die Menschen zu verschrecken und ihnen das Leben zu vermiesen, als sie für Gott und füreinander freizusetzen. Diesem Grundverdacht muss energisch entgegengewirkt werden. Dass aus einer derartigen „Kirche-Berührung" dann auch eigene Lebensumkehr folgen muss, steht auf einem anderen Blatt. Umkehr erwächst freilich aus Annahme, nicht umgekehrt. Und jede „Annahme", auch jene, die Anforderungen stellt und einen Neuanfang in den Blick nimmt, ist heute für die Menschen wie ein Fest inmitten einer oft harten und unmenschlichen Welt.

Das Buch zeigt, dass die kirchlich-seelsorglichen Problemstellungen im Osten Deutschlands angesichts der gesellschaftlichen Veränderungen nach der Wende nicht nur regional bedeutsam sind. Sie dürften, bei Berücksichtigung mancher Besonderheiten, exemplarische Bedeutung für die Gesamtpastoral in Deutschland haben. Diese Situation ruft in eine neue Verantwortung. Namhafte Vertreter des katholischen Lebens in Deutschland kommen zu Wort:

Erzbischof Dr. Ludwig Averkamp,
    Erzbischof von Hamburg
Prof. Dr. Albert Franz, Dresden
Prof. Dr. Hanna-Barbara Gerl-Falkowitz, Dresden
Prof. Dr. Hans Joachim Meyer,
    Staatsminister für Wissenschaft und Kunst
    des Freistaates Sachsen
Erzbischof Dr. Csaba Ternyák,
    Titularerzbischof von Eminenziana
Prof. Dr. Eberhard Tiefensee, Erfurt
Bischof Dr. Joachim Wanke, Bischof von Erfurt
Prof. Dr. Andreas Wollbold,
    Rektor der Theologischen Fakultät Erfurt

Joachim Wanke (Hg.)
Wiedervereinigte Seelsorge
Die Herausforderung der katholischen Kirche in Deutschland

134 Seiten, 14,5 x 21 cm, Engl. Broschur
€ 12,60   ISBN 3-7462-1381-9